Gerard Tonen

Meester Frits
is verliefd

tekeningen van Georgien Overwater

De Berkenhut

Giraffestraat

Vormgeving: Rob Galema

STICHTING NEDERLANDSE
KINDERJURY
2004

Boeken met dit vignet zijn op niveaubepaling geregistreerd en gecontroleerd door
KPC Groep te 's-Hertogenbosch.

0 1 2 3 4 5 / 07 06 05 04 03

ISBN 90.276.4813.1
NUR 282

© 2003 Tekst: Gerard Tonen
Illustraties: Georgien Overwater
Uitgeverij Zwijsen Algemeen B.V. Tilburg

Voor België:
Zwijsen-Infoboek, Meerhout
D/2003/1919/52

Inhoud

1. Het schuurtje

Als de wekker gaat, is Jesse meteen wakker. Zo snel mogelijk drukt hij de wekker uit: niemand mag hem horen. Dan knipt hij het licht aan. Het is drie uur in de nacht. Natuurlijk heeft hij geen zin om op te staan, maar hij weet dat het moet. Als hij nu niet opstaat, kan hij zijn nieuwste uitvinding nooit uitproberen.

Zo voorzichtig mogelijk loopt hij van zijn bed naar de stoel waar zijn kleren op liggen. Het vervelende is dat de vloer van hout is. Sommige planken kraken verschrikkelijk, maar gelukkig weet hij welke planken dat zijn. Zo rustig mogelijk stapt hij op de planken die niet kraken.

Omdat hij weet dat zijn slaapkamerdeur piept, heeft hij die, voordat hij ging slapen, al opengezet. Even blijft hij op de overloop staan. Hij luistert naar het ademhalen van zijn zus, Rosa. Ze slaapt gelukkig diep. Zo nu en dan snurkt ze zelfs. Daar zal hij haar morgen eens mee plagen. Dan loopt hij op blote voeten de zoldertrap af, zijn schoenen in zijn hand.

Ook op de overloop van de eerste verdieping blijft hij staan om te luisteren. Het is nog nooit zo rustig in huis geweest. In het bed van zijn vader en moeder draait iemand zich om. Op de trap van de eerste verdieping naar beneden ligt gelukkig dikke vloerbedekking. Hierdoor kan hij snel naar beneden lopen.

In de gang doet hij zijn schoenen aan, dan loopt hij naar de keuken. Als hij de keukendeur opendoet, voelt hij de kou van de nacht. Dan rent Jesse door de grote tuin naar achter. Helemaal achter in de tuin staat een oud schuurtje. Het is zijn schuurtje, daar doet hij al zijn uitvindingen. Er ligt verschrikkelijk veel troep: gereedschap, oude motoren, schroeven, hout, maar Jesse weet precies waar alles ligt.

Voordat hij het schuurtje ingaat, blijft hij even staan luisteren. Hij kan zich niet voorstellen dat hier overdag overal kinderen spelen en dat het dan een lawaai van je welste is. Het is voor de eerste keer dat hij de Giraffestraat uitgestorven ziet. Hij kijkt naar de donkere huizen en moet dan even lachen. Hij kan zich niet voorstellen dat daar achter die muren nu allemaal mensen liggen te slapen. Hoog in de lucht roept een vogel. Een uil?

Uit het schuurtje haalt hij dikke touwen, een grote fles en een heel groot laken. Als hij buiten is, haalt hij achter het schuurtje een grote rieten mand vandaan.

'Ik moet opschieten,' denkt Jesse, 'dadelijk wordt het al licht en worden misschien de eerste mensen wakker.'

De fles en het laken maakt hij vast aan de mand. Aan de mand knoopt hij de dikke touwen en dan maakt hij de touwen vast aan vier bomen. Vervolgens steekt hij iets aan en komt er

een grote vlam uit de fles. Jesse schrikt wel van het licht en het lawaai van de vlam. In het donker lijkt de vlam nog groter dan anders. Als er maar niemand wakker wordt ...

Door de warmte van de vlam gaat het laken bol staan en komt het zelfs omhoog. Op een gegeven moment trekt het laken, een soort ballon, het mandje recht. Als het recht staat, stapt Jesse er in. De vlam blaast nu volop in het grote, bolle laken.

Na tien minuten gebeurt het. Jesse kan het wel uitschreeuwen van trots. Langzaam, heel langzaam, voelt hij dat het mandje van de grond komt en dat hij omhooggaat. JONGE BALLONVAARDER VLIEGT DE GIRAFFESTRAAT UIT, hij ziet de koppen al in de krant.

Maar Jesse vliegt niet weg. Het is maar goed dat hij het mandje aan de bomen heeft vastgemaakt. Hij vliegt nu zo'n vijf meter boven de grond en de touwen tussen het mandje en de bomen staan strak.

'Het werkt,' fluistert hij, 'het werkt. Als ik wil, kan ik zomaar wegvliegen.'

Hij zet de vlam uit en hij merkt dat de warme lucht langzaam uit de ballon verdwijnt, waardoor hij zakt.

Zo gauw hij weer op de grond staat, haalt hij de boel uit elkaar en legt hij alles terug in het schuurtje.

Hij is net op tijd klaar, want de lucht wordt al aardig licht.

'Jesse, ben jij daar?' vraagt zijn vader als hij naar boven loopt.

'Ik ben even wezen plassen,' zegt hij zo zacht mogelijk terug.

'O,' zegt zijn vader. 'Ga nog maar even lekker slapen. Het is nog vroeg.'

9

2. Groot Geheim

Als Jesse vanuit zijn klas naar buiten kijkt, ziet hij Rob het schoolplein af lopen.

'Jesse, doe eens wat rustiger,' zegt meester Frits streng als Jesse als een gek de klas uitrent.

'Ik heb haast, meester.'

'Niks mee te maken. Ik wil dat je gewoon rustig de klas uitloopt.'

Jesse loopt nu zo rustig mogelijk, want hij weet ook wel dat hij anders van meester Frits nog even moet nablijven.

Als hij de school uit is, zet hij het opnieuw keihard op een lopen. Drie straten verder haalt hij Rob in. Zonder iets te zeggen, springt hij bij Rob op zijn rug.

'Hé, wie is dat?' schrikt Rob.

'It's me,' zegt Jesse stoer.

'Waarom ben je zo vrolijk?' vraagt Rob.

'Omdat we zo snel mogelijk bij elkaar moeten komen in de Geheime Vergaderkamer,' fluistert Jesse.

'Iets bijzonders?' vraagt Rob.

'Iets heel bijzonders.'

'Wat dan?'

'Groot Geheim,' wil Jesse alleen maar kwijt.

Het wordt nu tijd om iets over de Giraffestraat te vertellen. Anders snap je dadelijk het verhaal niet meer. De Giraffestraat is de leukste straat van Nederland. Dat komt doordat er een heleboel kinderen wonen. In elk huis woont ten minste één kind, maar vaak wel meer.

Het zijn ook heel bijzondere kinderen. Neem nou Jesse. Hij is ontzettend handig. Hij kan van alles maken. Zo heeft hij ooit een motortje op een step gemaakt en met die step kan hij wel zestig kilometer per uur rijden.

En dan is er natuurlijk Joris Lap. Als je ooit door de Giraffe-straat rijdt, moet je vooral omhoog kijken. Grote kans dat je Joris op zijn koord ziet balanceren. De ene kant van het touw heeft hij vastgemaakt aan zijn huis, de andere kant aan het huis van zijn beste vriend, Godfried. Joris is zo'n beetje de beste koorddanser van de wereld.

Verder woont bijvoorbeeld Josse in de straat. Josse kan alles en iedereen nadoen: een helikopter, een sirene, meester Frits, zijn moeder. Zo is er grote kans dat je een wolf hoort huilen als je door de Giraffestraat loopt. Dat is dan Josse.

Als je voor de eerste keer in de Giraffestraat komt, lijkt het helemaal geen leuke straat. De straat is namelijk erg druk, elke seconde zoeft er wel een auto voorbij. De kinderen van de Giraffestraat spelen dan ook bijna nooit voor op straat. Toch spelen ze heel vaak buiten. Dat doen ze achter de huizen. Achter de huizen liggen namelijk heel grote tuinen. Sommige tuinen lijken wel een bos, zo groot zijn ze. In die tuinen heb-ben de kinderen van de Giraffestraat hun hutten en hun holen.

Er zijn drie manieren om de Giraffestraat over te steken. Je kunt natuurlijk gewoon oversteken, maar dat doet eigenlijk niemand. Door al die auto's duurt dat veel te lang en is het veel te gevaarlijk. Verder kun je natuurlijk over het koord van Joris Lap lopen, maar Joris is de enige die dat kan. De kinde-ren van de Giraffestraat gaan altijd door de tunnel van de ene naar de andere kant van de Giraffestraat. In de tuin van Sara ligt een diepe kuil. In die kuil is de ingang van een tunnel die onder de Giraffestraat door loopt. Als je hem helemaal doorloopt, kom je uit in de tuin van Hester, aan de andere kant van de straat.

Midden in die tunnel, dus diep onder de Giraffestraat, is een Geheime Vergaderkamer. De kinderen van de Giraffestraat weten precies wanneer ze daarheen moeten voor een vergade-

ring. Dat is namelijk als ze Rob het 'Vader Jacob' op zijn trompet horen spelen. Eerst speelt hij het 'Vader Jacob' aan de ene kant van de Giraffestraat, dan rent hij door de tunnel, en speelt hij het aan de andere kant van de straat.

'Haal je trompet nou,' dringt Jesse aan als ze al een half uur thuis zijn.

'Wacht nou even tot iedereen van school terug is.'

'Iedereen is nu wel thuis, hoor. Schiet nou op.'

Dan gaat Rob naar huis en pakt hij zijn trompet. Even later klinkt door alle tuinen het 'Vader Jacob'.

3. Een ballon

Al als de eerste tonen klinken, laten de kinderen van de Giraffestraat alles liggen waar ze mee bezig zijn. Ze kruipen uit hun hutten en holen. Sommigen roetsjen zelfs van de regenpijpen af naar beneden. Ze hebben altijd zin in een Geheime Vergadering, want zo'n vergadering betekent meestal avontuur.

'Hé, weet jij waarom we bij elkaar worden geroepen?' vraagt Violet aan Rosa.

'Geen idee.'

'Nilani, weet jij waarom we bij elkaar worden geroepen?'

'Ik zou het niet weten.'

In de tunnel is het een geweldig dringen. Iedereen wil het eerste in de Geheime Vergaderkamer zijn. Daar ruikt het altijd heerlijk naar nat zand en boomwortels, vindt Violet. Ze snuift eens diep.

'Schuif eens op. Ga eens aan de kant,' hoor je steeds. De Geheime Vergaderkamer is niet groot. De kinderen van de Giraffestraat moeten dicht tegen elkaar aan zitten, anders passen ze er niet allemaal in.

Als ze zitten, kijken ze elkaar afwachtend aan.

'Waarom moeten we nou eigenlijk vergaderen?' vraagt Nilani als eerste hardop.

Dan gaat Jesse staan. Voordat hij wat zegt, schraapt hij zijn keel. 'Ik wil jullie iets laten zien,' zegt hij. 'Ik heb iets heel moois gemaakt en ik denk dat jullie dat ook wel mooi vinden.'

14

'Wat dan?' vraagt Godfried nieuwsgierig. Hij weet dat Jesse mooie dingen kan maken.

'Als jullie mee naar mijn schuurtje komen, zal ik het jullie laten zien.'

Als ze naar buiten gaan, is het opnieuw een enorm gedrang. Iedereen wil zo snel mogelijk zien wat Jesse heeft gemaakt. Met z'n allen lopen ze naar zijn schuurtje.

De kinderen van de Giraffestraat snappen er niets van. Jesse komt eerst met een fles naar buiten, even later met een groot wit doek en lange touwen. Van achter het schuurtje haalt hij een grote mand, het lijkt wel een soort grote broodmand. Dan knoopt en haakt hij al die dingen aan elkaar.

'O, heeft iemand toevallig lucifers bij zich?' vraagt hij verstrooid.

'Ja, ik,' zegt Boudewijn, die vanmiddag een mooi kampvuur wilde maken.

De kinderen van de Giraffestraat deinzen terug als Jesse de vlam aansteekt.

'Een ballon,' zegt Violet, 'het is een ballon.'

'En kun je er ook mee vliegen?' vraagt Rosa.

Jesse knikt trots.

'Mag ik in de mand?' dringt Violet aan.

'Stap maar in.'

'Wat leuk,' zegt Violet opgewonden.

'Hier heb ik vier touwen. Joris, Godfried, Boudewijn en Josse, die moeten jullie goed vasthouden.'

En ja hoor, even later gaat ook Violet de lucht in.

'Ik kan vliegen,' gilt ze, als ze tussen de kruinen van een paar bomen hangt. 'Laat me alsjeblieft los. Ik wil wegvliegen uit de Giraffestraat.'

De kinderen die de touwen vasthouden, kijken Jesse vragend aan. Moeten ze de touwen loslaten?

'Niet doen,' zegt Jesse streng. 'Dat is veel te gevaarlijk. Voordat je het weet, blijft ze ergens aan haken. Bovendien weet ik niet hoelang de ballon in de lucht blijft. Dadelijk landt ze in de zee en verdrinkt ze misschien.'

'Wat flauw,' protesteert Violet. 'Laat nou los. Ik wil weg. Jesse, doe nou niet zo flauw.'

Jesse begint te twijfelen. Het zou toch erg mooi zijn als zijn ballon nog hoger de lucht inging.

16

4. De schrijver

Precies op dat moment loop ik in de brandgang achter de tuinen van de Giraffestraat en zie ik Violet hoog tussen de bomen hangen.

Nou zul je je wel afvragen wie 'ik' is. Ik ben ik, Gerard Tonen, de schrijver van dit boek en de vader van Violet.

'Kom onmiddellijk naar beneden,' roep ik keihard. 'Ben je nou helemaal gek geworden.' En ik loop snel de tuin in van Rosa en Jesse.

Als ik in de tuin kom, zie ik alle kinderen van de Giraffe-straat naar boven kijken.

'Waar zijn jullie nu weer mee bezig?' vraag ik.

Jesse legt uit waarom ze hier zijn en wat ze aan het doen zijn.

'Ik vind het heel knap dat jij zo'n ballon kunt maken, maar ik vind het veel te gevaarlijk. Ik wil niet dat Violet erin zit. Kom naar beneden,' zeg ik nog eens.

Dan trekken Joris, Godfried, Boudewijn en Josse de ballon naar beneden.

Ik heb het idee dat ik net op tijd ben. Ik weet bijna wel zeker dat ze de ballon hadden losgelaten en dat Violet dan weer een gevaarlijk avontuur had meegemaakt. Ik ken mijn dochter in-middels wel een beetje: altijd doet ze gevaarlijke dingen, din-gen waar ik mijn hart bij vasthoud.

'Waarom doe je nou zo streng,' zegt Violet als ze uit de mand stapt.

'Omdat het gevaarlijk is om zomaar weg te vliegen. Wie weet, valt de bodem uit de mand, gaat de ballon lek. Of mis-schien beland je wel in een vreemd, eng land,' probeer ik uit te leggen.

'Nou en? Vind jij dat erg?'

'Natuurlijk,' zeg ik vol overtuiging.

Violet kijkt mij ondeugend aan. 'Volgens mij vind jij dat helemaal niet erg,' zegt ze, terwijl ze mij een knipoog geeft.

'Hoezo niet?'

'Nou, dan kun je er weer een spannend boek over schrij-ven,' lacht ze.

'Ik wil helemaal geen spannende boeken schrijven. Ik wil gewoon dat jij in de Giraffestraat bent en geen gekke dingen doet. Ik hoef niet zo nodig boeken over de Giraffestraat te schrijven, ik verzin wel iets anders.'

'Wat saai,' zegt ze.

Terwijl we aan het praten zijn, ruimt Jesse zijn ballon op.

Zo. Nou heb je er enig idee van hoe het eraan toegaat in de Giraffestraat. Elke dag gebeuren er wel vreemde dingen.

In groepjes lopen de kinderen van de Giraffestraat terug naar de Geheime Vergaderkamer. Ze vinden het jammer dat dit avontuur geen vervolg krijgt.

Ik loop naar mijn kamer en zet mijn computer aan. Voor mij heb ik een wit scherm. Ik wil aan een nieuw boek beginnen, maar ik heb geen idee waar het over moet gaan.

'En, heb je lekker geschreven?' vraagt Violet als ze thuiskomt om te eten.

Ik sta net in de keuken een pan af te wassen.

19

'Waarom kijk je zo boos?' vraagt ze.

'Omdat ik een rothumeur heb. Daarom.'

'En waarom heb je dat?'

'In de eerste plaats omdat ik geen idee heb voor een nieuw boek. In de tweede plaats omdat mijn aardappels net zijn aangebrand,' zeg ik chagrijnig.

'Dan had je mij maar weg moeten laten vliegen,' zegt Violet triomfantelijk. 'Had je misschien een nieuw boek kunnen schrijven.'

'Doe niet zo flauw,' zeg ik.

'O ja, ik wil je ook nog wel een cursus koken geven,' zegt ze, en ze kijkt mij brutaal aan.

'Ik zal je,' zeg ik en ik ren naar haar toe om haar de kieteldood te geven. Maar omdat ze hard wegrent, krijg ik haar niet te pakken.

&

5. Een dief

Nilani staart uit het raam van de klas. Wat een saaie dag. Ze zeggen dat het mei is. Het zou nu toch mooi weer moeten zijn. Maar buiten lijkt het wel herfst. Boven de stad hangen dikke, donkere wolken. De afgelopen dagen was het nog wel zulk mooi weer.

Voor de klas staat meester Frits. Hij staat voor de wereldkaart en zijn stok danst over de wereld.

'Hier,' zegt hij, terwijl hij met zijn stok een cirkel maakt, 'ligt Zuid-Amerika.'

Nilani gaapt. Was ze maar thuis, in de Giraffestraat, dan kon ze naar haar nieuwe boomhut. Hoog in een kastanje, tussen drie dikke takken, heeft ze een prachtige hut gemaakt.

'Dit is Afrika,' zegt meester Frits en hij maakt een tweede cirkel.

Als Nilani meester Frits 'en hier ligt Azië' hoort zeggen, is ze er met haar gedachten meteen weer bij.

Azië: daar is ze geboren. Haar Nederlandse vader en moeder hebben haar geadopteerd toen ze twee weken oud was. Ze zijn haar speciaal in Sri Lanka komen ophalen. Met z'n drieën zijn ze toen met het vliegtuig naar Nederland gegaan. Die vlucht duurde veertien uur. Ze vindt het zo jammer dat ze zich daar niets meer van kan herinneren.

'Dit is China,' zegt meester Frits, 'en dit is India. Onder India hangt, midden in de Indische Oceaan, een heel klein landje. Het lijkt wel alsof er een drolletje uit India komt. Wie weet hoe dat land heet?'

'Sri Lanka,' roept Nilani voordat iemand anders het kan zeggen.

Meester Frits grinnikt. 'Ik dacht al dat jij dat wel zou weten.'

'Daar ben ik geboren,' zegt Nilani trots.

'In welke plaats ben jij geboren?' vraagt meester Frits. Net zat iedereen nog onderuitgezakt naar de wereldkaart te kijken. Nu zit iedereen opeens rechtop.

'In Colombo,' zegt Nilani.

Meester Frits kijkt eens goed. 'Ja,' zegt hij. 'Colombo, het staat erop. Kom maar eens kijken.'

Nilani gaat naar voren en meester Frits tilt haar een beetje op, zodat ze het beter kan lezen. 'Colombo,' leest ze.

'Kun je je nog iets van je land herinneren?' vraagt Violet, die achter in de klas zit.

'Jammer genoeg helemaal niks,' zegt Nilani. 'Ik was twee weken oud toen ik naar Nederland kwam.'

'Het is maar goed dat je geen asielzoeker bent,' zegt Lars zomaar opeens.

'Waarom niet?' vraagt meester Frits verbaasd.

'Nou, daar zijn er zoveel van. Dan was je misschien ook wel een dief.'

Dan breekt er een enorme herrie los in de klas. Iedereen schreeuwt boos door elkaar.

'Wat een stomme opmerking.'

'Je discrimineert.'

'Wat gemeen dat je dat zegt.'

'Ik wist niet dat jij zo dom was.'

'Ho, ho,' schreeuwt meester Frits ertussendoor. 'Niet allemaal tegelijk.'

'Wat bedoel je daar nou mee?' vraagt meester Frits als iedereen wat tot bedaren is gekomen.

'Nou niks,' zegt Lars, die niets meer durft te zeggen.

'Jawel,' dringt meester Frits aan. 'Dat zei je niet voor niks.'

'Nou, mijn vader zegt dat er veel te veel asielzoekers in Nederland zijn en dat ze vaak rotdingen doen, zoals drugs gebruiken en stelen.'

Opnieuw begint iedereen verontwaardigd door elkaar te schreeuwen.

'Wist je dat er ook asielzoekers uit Sri Lanka komen?' zegt meester Frits als hij eindelijk iedereen weer stil heeft gekregen. 'Misschien is het wel eens goed als we een asielzoeker op school uitnodigen. Dan kan hij zelf eens vertellen waarom hij naar Nederland is gekomen.'

De kinderen in de klas knikken enthousiast. Dat vinden ze een goed idee. Het is altijd leuk als er een gast in de klas komt, dan krijgen ze tenminste geen rekenen of dictee.

6. Renuka

Vier dagen later kijkt meester Frits zenuwachtig op de klok.

'Jullie moeten je werkje nu maar afmaken, want over vijf minuten krijgen we bezoek van onze asielzoeker,' zegt meester Frits.

De kinderen weten niet hoe snel ze hun rekenboeken en schriftjes moeten dichtklappen. Boudewijn haalt snel de boeken op om ze weer in de kast te leggen. Hij is nog niet klaar of er wordt al op de deur geklopt.

Als de deur opgengaat, weet Nilani niet wat ze ziet. Ze dacht dat er een grote, donkere mijnheer zou binnenkomen, maar dat heeft ze helemaal mis. Door de deur komt een mooie, bruine vrouw met glanzend zwart haar. Omdat ze vriendelijk lacht, zie je haar mooie, witte tanden. Achter haar loopt een blanke mevrouw die vriendelijk knikt.

Opeens gaat er een schok door Nilani. Het zou heel goed kunnen dat deze vrouw ook uit Sri Lanka komt. De vrouw is te jong om haar moeder te zijn, maar deze vrouw zou wel haar zus kunnen zijn, haar oudere zus. Misschien heeft ze in Sri Lanka wel een zus, of een broer. Nilani denkt daar vaak aan.

'Lijkt ze op mij?' vraagt Nilani aan Violet.

'Nee, hoe kom je daar nou bij?' vraagt Violet.

Nilani ziet dat meester Frits nog zenuwachtiger wordt dan hij al was. 'Dag, dag, dag,' zegt hij een paar keer en hij rent door de klas om twee stoelen te pakken.

'Goh, leuk dat jullie er zijn,' zegt hij. Violet ziet dat het zweet op zijn voorhoofd staat. 'Ik zal jullie even voorstellen. Of nee, willen jullie eerst een kopje koffie?'

Zonder hun antwoord af te wachten rent hij de klas uit om in de kamer waar de meesters en juffen altijd zitten, twee kopjes te halen. De twee vrouwen blijven verbaasd achter, maar lachen vriendelijk naar de kinderen die zitten te giechelen.

'Sorry dat ik jullie heb laten wachten,' zegt hij, als hij met twee kopjes koffie over de drempel stapt. Dat had hij misschien niet moeten zeggen. Meester Frits heeft over het algemeen geen moeite om over drempels te stappen, maar nu blijft hij er met zijn rechtervoet achter steken.

'Oei,' schreeuwt hij. Te laat. De kopjes vliegen al door de klas. De bruine inhoud en de kopjes belanden op tafel bij Joris Lap, die onder de koffie komt te zitten. Meester Frits ligt languit voor de voeten van de twee vrouwen die, net als de kinderen, krom liggen van het lachen.

'Sorry, sorry,' zegt hij steeds maar weer als hij omhoogkrabbelt. 'O, wat erg. Sorry.'

Als alle troep is opgeruimd, kunnen ze eindelijk beginnen.

'Ja,' zegt meester Frits terwijl hij over zijn knie strijkt. Zo te zien heeft hij zich pijn gedaan. 'Hier zien jullie Renuka zitten. Ze is 22 jaar en sinds vier maanden in Nederland. Naast haar zit Wilma Roodt. Zij is vertaalster. Omdat Renuka nog niet goed Nederlands spreekt, zal zij alles vertalen.'

Dan begint Renuka te praten. Steeds als ze een paar zinnen heeft gezegd, stopt ze, zodat Wilma het kan vertalen. Meestal praat Renuka zelf wel in het Engels. Alleen als ze heel veel wil vertellen, of als het verdrietig is, praat ze in haar eigen taal. Alleen Rosa weet wat Renuka en Wilma in het Engels zeggen. Rosa kan namelijk erg goed Engels praten en verstaan. Dat komt omdat ze een tante in Amerika heeft wonen en die komt heel vaak met haar kinderen naar Nederland bij hen logeren. Daar heeft ze het van geleerd.

'Ik woonde in het oosten van Sri Lanka, in een heel klein dorpje. Er stonden hoogstens dertig huisjes. In Sri Lanka wonen twee verschillende soorten volken, de Tamils en de Singalezen. Ze hebben een andere taal en een andere godsdienst. Ikzelf ben een Tamil. Opeens kregen de Tamils en de Singalezen oorlog met elkaar. Ook in ons dorpje woonden Tamils en Singalezen. Op een gegeven moment kregen ook zij ruzie met elkaar. Toen...' Renuka kan even niet verder praten.

Meester Frits en de kinderen kijken haar gespannen aan.

'Toen staken de Singalezen ons huis in brand. Mijn vader werd vermoord. Mijn moeder en mijn twee broertjes namen ze gevangen. Ik heb ze nooit meer gezien. Ik vluchtte het bos in en heb daar wekenlang geleefd. Ik durfde niet meer te voorschijn te komen. Op een nacht ging ik terug naar het dorp. Ik zag dat de helft was platgebrand, toen ben ik naar Colombo gelopen.'

Renuka kijkt de klas rond. Dan ziet ze Nilani zitten. 'Wat ben jij mooi bruin.'

'Ik kom ook uit Sri Lanka,' zegt Nilani trots.

'Zijn jullie ook gevlucht?' vertaalt Wilma.

'Nee, ik ben geadopteerd. Ik heb maar twee weken in Sri Lanka gewoond, toen kwamen mijn vader en moeder mij halen.'

'Dan ben je een gelukkig kind,' zegt Renuka, 'dan heb je nooit oorlog meegemaakt.'

'Waar bent u liever? In Nederland of in Sri Lanka?' vraagt Nilani.

'Het liefst ben ik in Sri Lanka. Dat is mijn vaderland. Maar ik durf niet terug te gaan. Ik ben veel te bang dat ze mij vermoorden.'

'Mijn moeder zegt dat het nooit herfst of lente is in Sri Lanka, klopt dat?' vraagt Nilani nieuwsgierig.

'Dat klopt wel,' lacht Renuka. 'Het is er eigenlijk altijd zomer. Dat komt doordat het een tropisch land is, dat op de evenaar ligt. Soms heb je moessons, dan regent het pijpenstelen. Maar zelfs dan is het nog heel warm. Daar moet je wel tegen kunnen.'

Violet steekt haar vinger op. 'Ik heb ook een vraag.'

'Nou, kom op met die vraag,' zegt Wilma, die alles vertaalt.

'Steelt u wel eens?' vraagt Violet.

Renuka schrikt. 'Nee, hoe kom je daar nou bij?'

'Nou, Lars zei dat asielzoekers vaak stelen.'

Lars krijgt een rode kleur en durft Renuka niet meer aan te kijken.

27

'Er wonen bij ons in het asielzoekerscentrum een heleboel asielzoekers, maar ik ken niemand die steelt. Echt niet,' zegt Renuka vol overtuiging.

'Ik vond het een leuke middag,' zegt meester Frits de volgende ochtend. 'Ik hoop dat jullie veel hebben geleerd.'

'Ik vind het wel zielig voor haar,' zegt Boudewijn. 'Zo helemaal alleen in een vreemd land. Er is hier niemand die ze kent en ze verstaat ook niemand.'

'Gelukkig kent ze wel een beetje Engels,' zegt meester Frits. 'Ik kan toch wel met haar praten.' Als hij het zegt, ziet Nilani dat hij een beetje rood wordt.

'Kende u haar al?' vraagt Nilani.

Meester Frits wordt nog roder. 'Nee, hoor. Waarom vraag je dat?'

'Zomaar. Ik wist niet dat u een asielzoekster kende.'

'Jullie weten zoveel niet van mij. Maar ik kende haar helemaal niet.'

'O,' zegt Nilani alleen maar.

'Hoe komt het dan dat ze in de klas kwam?' vraagt Violet nieuwsgierig.

'Ik ben naar het asielzoekerscentrum op de Groningerstraatweg gegaan en daar heb ik gevraagd wie er een keertje in een klas zijn verhaal wilde vertellen. Renuka wilde wel.'

'Een mooie naam, Renuka,' zegt Nilani.

'Een heel mooie naam. Die naam komt in Sri Lanka heel vaak voor. Het komt daar misschien net zoveel voor als in Nederland de naam Anne of Esther. De naam Anne komt in Nederland trouwens het vaakste voor,' vertelt meester Frits.

28

7. Wedden

Even later krijgt Rosa een briefje op haar tafel.

Rosa, Nilani,
Ik denk dat De Club Van De Berkenhut snel bij elkaar moet komen. Kunnen jullie na school komen voor een extra verga-dering? Ik zal zorgen dat de thee klaarstaat.
Groeten,
Violet.
PS. Als je dit briefje hebt gelezen, geef het dan door aan Nilani.

De Berkenhut is het clubhuis van De Club Van De Berken-hut. De club heeft maar twee leden: Violet en Rosa. Soms no-digen ze een ander kind uit, zoals nu Nilani. Eigenlijk is De Berkenhut een oud schuurtje. Het staat helemaal achter in de tuin van Violet onder een grote berk.

In De Berkenhut ligt heel veel troep; allemaal spullen die Violets vader en moeder niet meer gebruiken. Zo staan er een oude kast, wat rollen tapijt, een kinderbox en een tafel. Verder staan de fietsen en de tuinstoelen er.

Aan het plafond hangen grote spinnenwebben waarin dikke spinnen op de loer liggen. Toch gaan Violet en Rosa hier altijd zitten als ze geheime dingen willen bespreken. Onder enkele vloertegels hebben Violet en Rosa de spullen van De Club verstopt, zoals een oude gasbrander en theekopjes.

Violet en Rosa gaan na school meteen naar huis. Als ze in de Giraffestraat zijn, gaat Rosa eerst naar haar eigen huis om te zeggen dat ze bij Violet gaat spelen. Violet rent vast door naar haar huis.

'Ik ben thuis,' roept Violet keihard naar boven als ze thuis is. Het kan bijna niet anders of haar vader zit boven te schrijven. Hij zit namelijk altijd boven te schrijven.

'Zal ik thee voor je zetten?' roept hij van boven.

'Laat maar. Ik ga naar De Berkenhut.' En meteen loopt ze door het huis naar de achterdeur.

In De Berkenhut licht ze de tegels op. Ze haalt de brander en de lucifers te voorschijn en zet water op voor de thee.

Even later klopt iemand op de deur.

'Het wachtwoord?' vraagt Violet.

'De Berkenhut,' klinkt de stem van Rosa.

'Kom maar binnen,' zegt Violet.

Even later wordt er nog een keer geklopt. Als ze de stem van Nilani horen, mag ze binnenkomen.

'Waarom heb je ons bij elkaar geroepen?' vraagt Nilani nieuwsgierig, een kop warme thee in haar handen. Ze heeft allang door dat Violet iets bijzonders te vertellen heeft.

'Hebben jullie het gemerkt?' fluistert Violet.

'Wat?' Nilani en Rosa weten niet waar Violet het over heeft.

'Hij is verliefd.'

'Wie is verliefd?' vraagt Nilani verbaasd.

'Meester Frits, natuurlijk.'

'Op wie?'

'Op Renuka. Op wie anders?' Violet snapt niet dat Rosa en Nilani dat niet hebben gezien.

'Hoe weet jij dat nou?' vraagt Rosa.

'Hij praat zoveel over haar. Hij heeft het tot nu toe alleen maar over die Renuka gehad.'

'Dat is waar,' moet Rosa toegeven.

'Maar dat niet alleen. Ik heb hem een paar keer zien blozen als hij haar naam noemt.'

Dan moeten ze alle drie hard lachen. Meester Frits verliefd, wie had dat ooit gedacht.

'Zal ik het hem eens vragen?' giechelt Rosa.

'Dat durf je niet.'

'Wedden dat ik dat durf?' zegt Rosa zelfverzekerd.

'Waar wedden we om?'

'Als je het doet, mag je een week lang mijn Gameboy lenen.'

'Oké,' zegt Rosa alleen maar. Ze steekt haar hand uit. Violet en Nilani leggen hun handen op die van Rosa. Dan belooft ze plechtig dat ze het zal doen en Violet belooft haar de Gameboy.

De volgende dag loopt Rosa meteen naar meester Frits die achter zijn bureau zit.

'Meester,' giechelt Rosa, 'is het waar?'

'Wat?' vraagt meester Frits nietsvermoedend.

'Violet zegt dat u verliefd bent.'

Dan ziet ze dat meester Frits een paar keer van kleur verandert. Eerst wordt hij rood. Dan paars. Dat paars komt waarschijnlijk omdat hij boos wordt.

Hij stottert zelfs van boosheid. 'Rosa, d... d... dat zijn geen l.. l.. leuke grapjes. Ik wil dat je daar onmiddellijk over ophoudt. Ben je nou helemaal gek geworden! Ga op je plaats zitten.'

Meester Frits kijkt zo boos dat Rosa meteen doet wat hij zegt. Ze hoeft trouwens niet nog eens te vragen of hij verliefd is. Het antwoord weet ze nu wel.

Als ze naar haar plaats loopt, ziet ze Violet achter haar handen lachen. 'Zie je nou wel dat ik het durf?' fluistert Rosa als ze langsloopt. 'Ik krijg wel je Gameboy.'

Meester Frits zet de klas meteen aan het werk. Zelf gaat hij proefwerken nakijken.

8. Een raket

Meester Frits is meester Frits niet meer: hij doet heel anders dan anders.

Meester Frits is eigenlijk nooit chagrijnig. Maar de week na het bezoek van Renuka is hij wel érg vrolijk. Als hij de klas binnenkomt, fluit hij. Dat is nog niet eens zo vreemd. Maar ook als iedereen rustig in de klas zit te werken, begint hij vrolijk te fluiten.

Boudewijn is met een moeilijke rekensom bezig, maar dat gefluit leidt hem steeds af. Verlegen steekt hij zijn hand op.

'Bovenstebeste, brave Boudewijn, waarmee kan ik je van dienst zijn?' vraagt meester Frits.

'U bent steeds aan het fluiten, daardoor kan ik niet zo goed rekenen.' Boudewijn vindt het vervelend om te zeggen.

'Ik was niet aan het fluiten, hoe kom je daar nou bij.'

Dan gaat iedereen zich ermee bemoeien.

'U was wel aan het fluiten.'

'We hebben het toch zelf gehoord.'

'Boudewijn heeft gelijk, hoor.'

Meester Frits steekt zijn beide armen omhoog om iedereen rustig te krijgen. 'Oké, oké,' geeft hij toe, 'jullie zullen wel gelijk hebben, ik was aan het fluiten. Ik zal meteen stoppen. Maar ik vind het wel heel erg dat een meester niet eens vrolijk mag zijn. Ik vind dat kinderen daar tegen moeten kunnen.'

Dan is het weer een lawaai van je welste. 'Het ligt niet aan ons, het ligt aan u,' zegt Violet. 'Wie gaat er nou fluiten als er kinderen aan het werk zijn! Hoe komt het dat u zo vrolijk bent?'

'Daar heb je helemaal niks mee te maken, wijsneus,' lacht meester Frits.

Nu wordt hij zelfs ondeugend. Terwijl ze net aan het praten waren, heeft hij een vliegtuigje gevouwen. Als hij is uitgesproken, gooit hij het vliegtuigje met een groot gebaar de klas in. Heel langzaam zweeft het over de hoofden van de kinderen naar beneden.

'Een meester die vliegtuigjes gooit, dat is de omgekeerde wereld,' zegt Lars.

'Precies,' vallen de anderen hem bij.

Het is duidelijk dat er iets aan de hand is met meester Frits.

Violet ziet het zelfs aan zijn kleren. Hij ziet er nu zo netjes uit. Niet dat meester Frits er vroeger vies bij liep, helemaal niet. Er zaten soms wel eens vlekken op zijn overhemd, maar dat gebeurt bij iedereen wel.

'Mijnheer, u heeft een vlek op uw broek,' heeft Violet wel eens tegen hem gezegd.

'Weet ik,' zei de meester, 'dat is eigeel. Ik zat vanmorgen zo lekker te eten. Opeens viel het ei van mijn brood. Ik had geen andere schone broek meer. Daarom heb ik hem maar aangehouden.'

'Sorry dat mijn overhemd helemaal gekreukeld is,' zei meester Frits ook wel, 'maar dat komt doordat ik geen tijd meer had om te strijken.'

Sinds een week heeft meester Frits nooit meer vlekken op zijn broeken en draagt hij altijd gestreken overhemden. Sterker nog: alle overhemden die hij draagt zijn nieuw.

'U heeft weer mooie kleren aan,' zegt Violet als ze voor de pauze langs zijn bureau loopt.

'Dank je. Dat vind ik zelf ook,' lacht meester Frits.

'U bent echt veranderd.'

Meester Frits kijkt haar opeens verschrikt aan. 'Vind je? Hoezo dan?'

'U draagt de laatste tijd zulke mooie kleren.'

'Och ja, ik had er genoeg van om altijd maar in die oude plunje te lopen.' Als hij dat heeft gezegd, pakt hij vlug wat schriften en loopt hij snel de klas uit.

'Hij heeft geen zin om erover te praten,' zegt Violet tegen Rosa en Nilani, als ze op de speelplaats lopen.

'Zou hij Renuka nog wel eens zien?' vraagt Nilani zich hardop af.

'Ik durf het hem niet meer te vragen, hoor,' zegt Rosa. 'Hij werd zo boos toen ik vroeg of hij verliefd was.'

'Weet je wat we doen?' zegt Violet opeens. 'We gaan hem achtervolgen, dan kijken we waar hij heen gaat. Tussen de middag moeten we onze fietsen meenemen, dan kunnen we na school achter hem aan fietsen.'

'Goed idee,' vindt Rosa. Als de bel gaat, lopen ze snel naar binnen.

'Moet je kijken,' fluistert Nilani, 'hoe snel hij zijn tas pakt. Hij wil heel snel weg.'

Het was Violet nog niet opgevallen, maar Nilani heeft gelijk. De zoemer is nog niet gegaan of meester Frits zegt tegen de klas dat ze mogen gaan. Meestal blijft hij nog wel even napraten, maar daar is nu geen sprake van. Met vlugge bewegingen pakt hij zijn agenda en wat papieren. Hij gooit ze in zijn tas, pakt een grote sporttas en beent de klas uit.

'Vlug,' zegt Violet. 'Erachteraan.'

Violet, Rosa en Nilani zien hoe meester Frits even naar de kamer van de meesters en juffen loopt, iedereen snel goedendag zegt en dan bijna op een holletje naar het fietsenhok loopt. Zenuwachtig zoekt hij het sleuteltje van zijn fiets.

Als hij het eindelijk heeft gevonden, stopt hij de grote sporttas onder de snelbinders en weet hij niet hoe snel hij op de fiets moet springen. In razend tempo rijdt hij het schoolplein af.

'Kom op,' zegt Rosa. 'Wat kan hij hard fietsen.'

'O, moet je zien,' zegt Violet verontwaardigd. 'Hij rijdt gewoon door het rode licht heen. Tegen ons zegt hij altijd dat wij dat niet mogen.'

Violet, Rosa en Nilani fietsen hard achter hem aan, maar meester Frits heeft niets in de gaten. Als een raket vliegt hij door de stad.

'Hij gaat helemaal de verkeerde kant op,' zegt Nilani. 'Hij woont aan de andere kant van de stad.'

'Ik weet wel waar hij heen gaat,' zegt Violet.

En ze krijgt helemaal gelijk.

Meester Frits vliegt met zijn fiets de oprijlaan van het asielzoekerscentrum op.

'Ho, stop,' zegt Violet en ze remt hard. 'We moeten ons verstoppen. Straks zien ze ons.'

Voor het asielzoekerscentrum zien ze Renuka staan. Ze lacht blij als ze meester Frits ziet. Als hij voor haar stopt, geeft hij haar een lange kus. Ze praten opgewonden met elkaar. Ze pakt de grote sporttas en doet die om haar schouder, dan springt ze bij meester Frits achterop. Met Renuka op de bagagedrager fietst hij terug naar de weg. Het is een leuk gezicht. De rok van Renuka wappert vrolijk in de wind.

Nilani vindt het leuk om Renuka terug te zien. Het gebeurt niet vaak dat ze iemand uit haar geboorteland tegenkomt. Ze kent trouwens maar heel weinig bruine mensen. Alle mensen in de Giraffestraat zijn bijvoorbeeld wit. In haar klas zit nog één ander gekleurd meisje. Ze heet Ha en komt uit Vietnam.

9. Bleke, blote billen

'Ik ben zo benieuwd waar ze heen gaan,' zegt Nilani. Violet, Rosa en Nilani vinden het altijd leuk om iemand te achtervolgen, dat is lekker spannend, net als in een film.

Ze houden grote afstand van meester Frits en Renuka, maar de afstand mag natuurlijk niet te groot worden. Anders verliezen ze hen misschien uit het oog.

'Ze rijden de stad uit,' zegt Violet wat angstig. Ze hoopt niet dat meester Frits en Renuka te ver weg gaan. Violet weet dat ze van haar vader en moeder hier eigenlijk niet mag komen. Ze zijn nu veel te ver van huis.

'Zouden ze naar het Bos van Ypé gaan?' vraagt Rosa zich hardop af.

'Dat zou goed kunnen. Misschien gaan ze in de bosjes wel vrijen,' giechelt Violet.

'Je denkt toch niet dat meester Frits gaat vrijen?' vraagt Nilani verontwaardigd.

'Waarom niet? Meesters vrijen ook wel eens, hoor.'

Ze fietsen nu de stad uit en rijden dwars door de weilanden. Het wordt steeds moeilijker om ze te achtervolgen. Ze kunnen zich nergens achter verschuilen. Daar komt bij dat meester Frits steeds omkijkt naar Renuka. Hij is aan één stuk door aan het woord.

'Ik weet waar ze heen gaan,' zegt Rosa opeens.

'Waarheen dan?'

'Ze gaan natuurlijk zwemmen in De Grote Wielen, daarom

hebben ze die sporttas bij zich, daar zitten natuurlijk hun zwemspullen in.'

Dan zien ze meester Frits en Renuka niet meer. Ze zwenken met hun fiets een bosje in.

'Trappen,' moedigt Violet aan. En als gekken fietsen ze door de weilanden. De lentelucht blaast lekker fris in hun gezicht. 'Ik hoop niet dat we ze kwijtraken.'

'Daar hoef je niet bang voor te zijn,' zegt Rosa. 'Wedden dat ze aan De Grote Wielen liggen?'

De fietsen leggen ze voor het bosje. Vervolgens sluipen ze voorzichtig door het bosje naar de rand van het struikgewas. Vanuit de struiken zien ze dat meester Frits en Renuka de fiets hebben neergelegd en dat hij zijn nieuwe overhemd uitdoet. Wat verlegen staat hij in zijn blote borst voor Renuka, die staat te lachen.

'Wat is hij dun, hè?' vindt Rosa.

Dan loopt hij naar de bosjes en doet daar zijn broek uit. Even zien ze meester Frits in zijn bleke, blote billen staan. Zo snel als hij kan, doet hij zijn zwembroek aan.

Violet, Rosa en Nilani zien dat Renuka zich niet durft uit te kleden. Meester Frits geeft haar een badpak. Ze rent ermee naar de bosjes.

Meester Frits blijft verlegen staan kijken. Het duurt even voordat Renuka in haar badpak de bosjes uitkomt.

'Wat is ze mooi, hè?' zegt Nilani.

Violet en Rosa knikken.

Dan zien ze hoe meester Frits zijn armen om Renuka slaat en haar even heel stevig vasthoudt. Dan kussen ze elkaar.

Ze leggen een handdoek op de grond, gaan er samen op liggen en houden niet meer op met kussen.

'Wat dacht je ervan als wij eens toevallig langs kwamen fietsen?' grinnikt Violet.

'Helemaal geen gek idee,' vindt Nilani.

Zo komt het dat ze terugsluipen naar hun fietsen en even daarna het fietspad van De Grote Wielen opfietsen.

'Hé, meester Frits,' roept Nilani enthousiast.

'Renuka,' roept Rosa zogenaamd verrast.

Meester Frits kijkt verschrikt op. Ze zien hem denken: o, daar heb je die drie weer.

'Hé, kinderen, jullie hier, wat toevallig,' zegt hij zo vriendelijk mogelijk.

'Nou, wat toevallig, hè?' zegt Rosa.

'Wat leuk dat jullie hier samen zijn,' zegt Violet.

'Ja, dat is heel leuk,' zucht meester Frits.

'Wat zijn jullie aan het doen?' vraagt Nilani nieuwsgierig.

'We liggen hier op de grond om naar de vliegtuigen te kijken,' zegt meester Frits. Vervolgens vertaalt hij voor Renuka in het Engels wat hij heeft gezegd. Die moet erg lachen.

'O,' zegt Violet alleen maar.

'En wat doen jullie hier?'

'We waren lekker aan het fietsen.'

'Leuk,' zegt meester Frits.

Violet, Rosa en Nilani blijven zo even staan. 'Nou, dan gaan we maar weer verder,' zegt Rosa om de stilte te doorbreken.

'Goed idee,' zegt meester Frits. 'Ik denk dat wij wat saai voor jullie zijn, anders zou ik jullie wel uitnodigen om mee te zwemmen.'

'Nee, hoeft niet, hoor. Wij fietsen lekker verder.'

'Dag, nog veel plezier,' roept meester Frits hen na.

10. Visite

'Hij is gek geworden. Hartstikke gek,' zegt Rosa een paar dagen later als ze in de klas zitten.

Violet en Rosa zijn het er helemaal over eens: meester Frits is gek geworden.

Meester Frits zegt iets, maar het lijkt wel alsof hij brabbelt, of hij opeens niet meer kan praten.

Boudewijn steekt zijn vinger op.

Meester Frits zegt iets tegen Boudewijn, maar het is dezelfde brabbeltaal.

'Wat zegt u nu? Wij begrijpen u niet,' zegt Boudewijn daarom maar.

'Wasoe sana vara fila gwanta kalutara hikadowa.'

'Wat zegt hij nou?' Iedereen begint zich ermee te bemoeien.

'Wat zegt u?' 'Waarom praat u niet gewoon?'

Meester Frits weet echter van geen ophouden. Hij praat maar door in dat taaltje dat niemand verstaat.

'Meester, doe nou niet zo flauw.'

'We worden er gek van.'

'Oh, wat is het toch fijn om in een andere taal te praten,' zegt hij ten slotte.

'Welke taal sprak u dan?' vraagt Deesje nieuwsgierig.

'Dat was Tamil-taal. Dat is een van de twee talen die ze in Sri Lanka spreken.'

'En wat zei u dan in de Tamil-taal?'

Bij die vraag begint meester Frits hard te lachen. 'Ja, dat

zouden jullie wel eens willen weten, hè?'

'Meester, doe nou niet zo flauw. Wat zei u dan?'

'Goed, laat ik eerlijk zijn. Ik zei dat jullie een stel heel vervelende kinderen waren. Dat jullie allemaal gek zijn en dat ik blij ben als de dag is afgelopen en ik naar huis mag.'

'O, wat gemeen,' klinkt er in de klas.

'Wij weten wel waarom u naar huis wilt,' roept Violet hard door alle herrie.

'Waarom dan?' vraagt de meester geheimzinnig.

'Omdat u naar uw liefje wilt. U bent verliefd op Renuka.'

'O, wat erg dat je dat zegt,' lacht meester Frits. 'Hoe weet jij dat nou? Maar je hebt wel gelijk.'

'Ik heb een goed idee,' zegt meester Frits een uur later.

'O, vertel eens? Wij zijn gek op goede ideeën,' zegt Deesje ongeduldig.

'Waarom blijven wij altijd maar in deze klas zitten?' vraagt de meester ondeugend.

'Ja, dat vragen wij ons ook af,' zegt Simon.

'Wat wilt u dan gaan doen?' vraagt Deesje.

'Wat dachten jullie ervan als wij eens op visite gingen bij een andere klas? Iedereen gaat altijd maar naar zijn eigen klas. Eigenlijk is dat heel saai,' zegt meester Frits heel serieus.

'U heeft helemaal gelijk,' zegt Simon.

'Zullen we nu gewoon eens een andere klas gaan verrassen?'

'Dat kan toch niet,' zegt Jeroen. 'Iedereen is hard aan het werk.'

'Och, wat maakt dat uit? Het is toch gewoon leuk om eens bij elkaar op visite te gaan?' werpt de meester tegen.

43

'Goed idee. Ja, leuk. Kom, we gaan,' klinkt het overal.

Iedereen staat op en het is een geschuif van bankjes en stoeltjes van je welste. Meester Frits houdt voor iedereen de deur open.

Als ze op de gang staan, durven ze niet verder te lopen. Het is zo stil in de school.

'Volg mij maar,' zegt meester Frits terwijl hij fier voorop loopt.

Met een grote zwaai gooit hij de deur open van groep vijf, de klas van juf Froukje.

'Hé, Frits,' zegt juffrouw Froukje verrast. 'Wat kom jij doen? Ik bedoel: wat komen jullie doen?'

'We dachten: kom, laten we eens gezellig bij jullie op visite gaan,' legt meester Frits uit terwijl hij zelf op een tafeltje gaat zitten. 'We zitten altijd maar in ons eigen lokaal. We gaan nooit eens bij elkaar op visite.'

'Maar ik ben net wat rekensommen aan het uitleggen,' zegt juf Froukje.

'Och, altijd dat domme rekenen. Laten we gewoon eens gezellig doen,' werpt meester Frits tegen.

De kinderen van meester Frits zoeken verlegen wat plekjes op de grond uit. Wordt juf Froukje nu kwaad?

'Eigenlijk niet zo'n gek idee,' zegt ze ten slotte. Ze ziet inmiddels ook wel dat meester Frits niet weg zal gaan, dat hij gewoon doorgaat. 'Zullen we dan maar met z'n allen een spelletje gaan doen?'

'Wat leuk,' juicht meester Frits. 'Wie weet een leuk spelletje?'

☙

11. Een pesthumeur

Violet en Nilani komen met veel kabaal de klas in. Op het schoolplein hebben ze met z'n allen tikkertje gedaan. Violet was hem en nu probeert ze Nilani te tikken. Maar Nilani schiet steeds weg, net als ze haar wil tikken.

'Wat flauw,' roept Violet keihard.

Als ze de klas binnenkomen, zien ze het al: vandaag is meester Frits niet vrolijk. Hij staart uit het raam en lijkt hen niet te zien.

'Hé, maak alsjeblieft niet zo'n herrie,' zegt hij met een chagrijnige stem als Violet roept.

Violet en Nilani begrijpen het meteen: vandaag moeten ze rustig zijn. Het gebeurt niet vaak, maar als meester Frits met zijn verkeerde been uit bed is gestapt, moet je je rustig houden. Voordat je het weet, wordt hij boos en moet je nablijven.

Stil zoeken de kinderen hun plaats op.

'Pak jullie rekenschriften maar, dan kun je beginnen met rekenen,' zegt de meester kortaf.

Er klinkt geritsel van papier, maar verder is het doodstil in de klas. Hier en daar schuifelt een voet op en neer.

Violet kijkt voorzichtig naar meester Frits. Ze ziet hem diep zuchten. Zijn hoofd legt hij op zijn hand en zo blijft hij wel een half uur zitten.

Wat zou er aan de hand zijn? Zou er iemand dood zijn? Zou hij ruzie met Renuka hebben? Of zou het uit zijn?

'Deesje, heb je geen zakdoek bij je? Ik heb geen zin om

45

voortdurend naar het ophalen van je neus te luisteren.'

Het is waar: Deesje haalt steeds heel irritant haar neus op. Vooral omdat het verder zo stil is, hoor je het extra goed. Deesje weet niet hoe snel ze haar zakdoek moet pakken.

Ze rekenen een half uur, drie kwartier, zelfs een uur. Al die tijd blijft meester Frits maar voor zich uit staren.

Na een uur durft Godfried zijn vinger op te steken.

'Wat is er?' vraagt meester Frits.

'We zijn nu al zo lang aan het rekenen. Zullen we iets anders gaan doen?'

'Als jullie daar zin in hebben ... Pak jullie leesboeken maar, dan kun je voor jezelf wat gaan lezen.'

Violet snapt er niets van. Zo chagrijnig heeft ze meester Frits nog nooit gezien.

Als de bel voor de pauze door de gang schelt, gaat er een zucht van opluchting door de klas. De kinderen weten niet hoe snel ze naar buiten moeten lopen.

'Jee, wat heeft die een pesthumeur,' zegt Rosa.

'Zeg dat wel. Hoe zou dat komen? Zou hij ruzie met Renuka hebben?' vraagt Violet zich hardop af.

Na de pauze is het niet anders. Als ze de klas weer inkomen, lijkt het wel of meester Frits niet van zijn plaats af is geweest. Hij zit nog steeds met zijn hoofd op zijn hand naar buiten te kijken. Zijn zijn ogen rood? Heeft hij gehuild? Violet kan het zich niet voorstellen.

Pas als iedereen al een tijdje zit, begint hij te praten.

'Als jullie zin hebben, kunnen jullie verder gaan met de tekening over de bergen. Ik heb vandaag geen zin om te praten,' zegt hij somber. Het zijn de laatste woorden die hij zegt voordat ze middagpauze hebben. Terwijl iedereen zo zachtjes mogelijk zijn tekening pakt en rustig begint te kleuren, legt meester Frits weer zijn hoofd op zijn hand. Zo blijft hij een uur lang zitten.

Violet schrikt als de bel gaat. Een uur lang heeft niemand in de klas iets gezegd.

Voorzichtig ruimt iedereen zijn spullen op en zonder iets te zeggen sluipen ze de klas uit.

Alleen Violet niet. Ze ziet dat meester Frits verdrietig is. Zou ze het durven? Voorzichtig loopt ze naar zijn tafel.

'Is er iets ergs gebeurd?' vraagt ze zacht als ze voor hem staat.

'Iets heel ergs,' zegt hij. Aan zijn stem hoort ze dat meester Frits moeite heeft om niet te gaan huilen.

'Wilt u het vertellen?'

Meester Frits knikt. 'Renuka moet terug naar Sri Lanka. Ze mag niet in Nederland blijven. Ze heeft een brief van de regering gekregen dat ze binnen vijf dagen het land moet verlaten.'

'Hoe kan dat nou? Straks gaan ze haar vermoorden in Sri Lanka.'

'De regering zegt dat alles veilig is. Als ze teruggaat, zien we elkaar nooit meer,' zegt hij afwezig.

'Was ik vandaag vervelend?' vraagt hij als het een tijdje stil is geweest.

'Het was niet leuk,' moet Violet toegeven.

'Sorry,' zegt hij, 'maar ik moet steeds aan Renuka denken, dat ik haar misschien nooit meer zie. Wie weet, wordt ze wel vermoord als ze in Sri Lanka terug is.'

12. Vliegtuigen

Violet, Rosa en Nilani fietsen meteen naar het asielzoe-kerscentrum. Een man achter een raam vertelt hun waar ze de kamer van Renuka kunnen vinden.

'*Please wait a moment,*' horen ze als ze op de deur hebben geklopt.

Als Renuka de deur opendoet, zien ze ook wel dat ze net haar tranen heeft afgeveegd.

Gelukkig dat Rosa zo goed Engels kan door haar tante en haar nichtjes, anders zouden ze Renuka niet begrijpen. Nu vertaalt Rosa steeds voor Violet en Nilani wat Renuka zegt.

'Waarom moet je nou terug?' vraagt Violet ongelovig.

'Ze zeggen dat Sri Lanka veilig is. Dat er niets meer aan de hand is.'

'En wanneer moet je terug?'

'Binnen vijf dagen moet ik het land uit zijn. Hier is een vliegticket. Hiermee kan ik terugvliegen naar Sri Lanka,' zegt Renuka en ze laat het biljet zien, dat al heel vaak is opgevouwen.

'Waar ga je dan heen?' vraagt Nilani. 'Je heb toch geen vader en moeder meer?'

Renuka haalt haar schouders op. 'Ik heb geen idee. Ik kan niet terug naar mijn dorp, want dan weet ik zeker dat ik word vermoord. Ik weet het niet.' Dan lopen de tranen over haar wangen. 'Ik vind het ook zo erg dat ik Frits nooit meer zie,' snikt ze.

Violet, Rosa en Nilani worden er zelf ook helemaal verdrietig van.

'Overmorgen brengt Frits mij naar Schiphol. Dan ga ik met het vliegtuig mee. Hebben jullie misschien zin om mee te gaan?'

'Als we van onze vaders en moeders mogen.'

'Dat lijkt mij wel leuk,' wil Violet er nog achteraan zeggen. Gelukkig bedenkt ze net op tijd dat het helemaal niet leuk is. Na overmorgen zullen ze Renuka nooit meer zien. Zij vinden dat niet leuk, maar meester Frits al helemaal niet.

De vader van Violet belde eerst nog naar meester Frits, of hij het wel goedvindt dat Violet, Rosa en Nilani meegaan.

'Graag,' had meester Frits gezegd. 'Dan heb ik ook wat afleiding. Anders denk ik op de terugweg alleen maar aan Renuka.'

Zo komt het dat ze met z'n zessen in een auto zitten die meester Frits heeft gehuurd. Meester Frits rijdt, Renuka zit naast hem. Achter hen zit Nilani met de moeder van meester Frits, die ook mee is. Daarachter zitten Violet en Rosa.

Het vervelende is eigenlijk dat er helemaal niets wordt gezegd. Meester Frits heeft één hand aan het stuur, met de andere hand houdt hij de hand van Renuka vast. Zo nu en dan droogt Renuka met een zakdoek haar tranen.

Violet en Rosa kijken elkaar soms eens aan. Ze durven niets te zeggen. Violet heeft er eigenlijk wel spijt van dat ze is meegegaan. Ze had nooit gedacht dat het zo'n verdrietige reis zou worden.

'Frits, let je wel goed op de weg?' vraagt de moeder van meester Frits.

Het hoofd van meester Frits knikt ja.

Ze rijden de Afsluitdijk over en met een boog gaan ze om Amsterdam heen. Dan zièn ze de eerste vliegtuigen in de lucht.

'Kijk eens wat een grote,' zegt Rosa bijna te enthousiast en ze wijst in de lucht.

'Misschien vlieg je wel met dat vliegtuig mee,' zegt de moeder van meester Frits.

'Nee,' zegt Renuka. 'Mijn vliegtuig is rood, het is van Air Lanka.'

Dat klopt, denkt Nilani, met Air Lanka is zijzelf ook naar Nederland gekomen.

'Kijk eens,' roept Rosa. 'Daar is Schiphol, allemaal vliegtuigen.'

Als ze een tunnel inrijden, zien ze nog net een groot vliegtuig over de tunnel heen rijden. De tunnel gaat onder een landingsbaan door.

Meester Frits parkeert zijn auto en haalt de tas van Renuka uit de kofferbak.

'En de koffers?' vraagt Rosa.

'Ik heb geen koffers,' moet Renuka lachen. 'Dit is alles wat ik heb.'

'En thuis heb je natuurlijk ook niks,' denkt Nilani hardop na.

'Ik heb niet eens een thuis,' zegt Renuka.

Meester Frits legt zijn arm om Renuka heen. 'Zo gauw ik geld heb, stuur ik je dat toe,' zegt hij. 'Dan heb je misschien zo wel weer een huis.'

'En als meester Frits geen geld heeft?' vraagt Nilani verbaasd. Zoals steeds, moet Rosa haar vraag vertalen.

'Tsja, dan zal ik op straat moeten leven, zoals zoveel mensen in Sri Lanka,' zucht Renuka.

Nilani knikt. 'Net als mijn Sri Lankaanse moeder, die was ook heel erg arm, die leefde ook op straat. Daarom kon ze niet voor mij zorgen.'

13. Los

Met z'n zessen lopen ze naar een groot gebouw. Violet weet niet wat ze ziet, het is zo groot en zo hoog, maar vooral erg druk. Overal zeulen mensen met koffers en tassen. Er zijn terrasjes en winkels.

Meester Frits loopt met Renuka tien meter voor hen. Hij houdt haar vast alsof hij haar nooit meer wil loslaten.

'Ik vind het zo erg dat ze terug moet,' zegt de moeder van meester Frits.

'Misschien kan ze snel weer terugkomen,' zegt Nilani om haar te troosten.

'Maar ze heeft helemaal geen geld en Frits is ook niet rijk.'

Overal hangen televisietoestellen waarop staat hoe laat de vliegtuigen vertrekken.

'We moeten naar incheckbalie 26,' zegt meester Frits als hij een tijdje naar zo'n televisietoestel heeft staan kijken.

Voor de balie staat een lange rij mensen te wachten, de meeste mensen zijn bruin.

'Als jij ooit naar je moeder wilt, moet je ook in die rij staan,' zegt Rosa tegen Nilani.

Nilani knikt. 'Ik zou haar heel graag eens willen zien. Als ik wat ouder ben, ga ik met mijn vader en moeder naar Sri Lanka, dan gaan we kijken of we haar kunnen vinden.'

'Het duurt nog anderhalf uur voordat het vliegtuig vertrekt,' zegt meester Frits. 'Zullen we in het restaurant nog wat gaan drinken?'

Renuka knikt. Ze wil helemaal niet in de rij gaan staan. Ze wil helemaal niet met het vliegtuig mee.

Via grote roltrappen komen ze in een restaurant met uitzicht op de landingsbanen. Vliegtuigen rijden af en aan. Het ene is nog niet geland of het volgende toestel komt er al weer aan. Het is een mooi gezicht, maar Violet kan er bijna niet van genieten, ze moet steeds naar meester Frits en Renuka kijken, die elkaar vasthouden.

Met een trieste stem bestelt meester Frits koffie en cola.

'Ik heb er wel spijt van dat ik jullie heb meegenomen, hoor,' zegt meester Frits. 'Jullie zien alleen maar verdriet.'

'Dat vinden we niet erg, echt niet,' stelt Violet hem gerust. 'Wij willen heel graag afscheid van Renuka nemen en ik ben hier nog nooit geweest. Ik vind het toch wel mooi om te zien.'

Iedereen staart, met zijn eigen gedachten, naar de vliegtuigen buiten.

'We kunnen niet meer wachten,' zegt Renuka na een tijdje. 'Ik moet nu echt gaan.'

'Och kind,' zegt de moeder van meester Frits.

De meester zucht.

Dan gaan ze met z'n zessen met de roltrappen weer naar beneden.

De rij voor de balie is gelukkig wat kleiner geworden. De vrouw achter de balie vraagt of Renuka nog meer bagage heeft. Renuka schudt haar hoofd. De tas mag ze bij zich houden. 'Dat is handbagage,' zegt de vrouw.

'Dit zijn de laatste paar meters op Nederlandse grond,' zegt Renuka. 'Daar is de douane al. Jullie mogen verder niet mee. Hier moeten we afscheid nemen.' Meteen nadat ze dat heeft gezegd, lopen de tranen over haar wangen en ze legt haar hoofd tegen de borst van meester Frits. Meester Frits geeft heel veel kussen op haar hoofd. 'Zo gauw ik genoeg geld heb, kom ik,' zegt hij steeds.

Als Renuka haar hoofd van zijn borst haalt, ziet Violet dat het T-shirt van meester Frits helemaal nat is.

'Kinderen,' zegt Renuka. Dan drukt ze Violet, Rosa en Nilani dicht tegen zich aan. 'Zorgen jullie goed voor meester Frits? Vrolijk hem maar goed op. Hij mag niet verdrietig zijn.'

Dan omhelzen Renuka en de moeder van meester Frits elkaar.

'Pas alsjeblieft goed op,' zegt de moeder van meester Frits.

'Ik hoop dat ik jullie snel weer zie,' snikt Renuka.

De moeder van meester Frits geeft haar nog geld. Als ze dan in Sri Lanka aankomt, heeft ze tenminste wat geld.

'Frits, ik moet nu echt gaan,' zegt ze.

Meester Frits kan niet eens meer praten. Hij zegt alleen maar: 'Nee, nee, nee.'

Renuka gaat in de rij staan voor de douane. Als ze haar papieren laat zien, mag ze zo doorlopen. Eenmaal achter de douane, blijft ze staan en zwaait ze uitbundig. 'Ik hoop dat we elkaar snel weer zien,' roept ze.

Als ze de hoek omloopt, is dat het laatste wat ze van haar zien.

Violet durft niet naar meester Frits te kijken, ze vindt het zo erg dat hij zo hard moet huilen.

Ze lopen terug naar het restaurant. Van daaruit kunnen ze naar het vliegtuig kijken.

'Kijk,' zegt meester Frits. 'Daar staat het.'

'Achter een van die raampjes zit ze,' zegt zijn moeder.

'Zou ze ons zien staan?' vraagt meester Frits zich af.

Misschien ben ik in dat vliegtuig wel naar Nederland gekomen, denkt Nilani.

Hoe goed ze ook kijken, nergens zien ze het gezicht van
Renuka of iemand die zwaait.

Na een half uur maakt het toestel zich los van de slurf.
Langzaam draait het om en rijdt het naar de startbaan.

Violet, Rosa, Nilani, meester Frits en zijn moeder zien hoe
het toestel even wacht op de startbaan. Dan gaat het rijden,
harder, steeds harder. Al snel maakt het toestel zich los van de
grond.

'Wat erg, wat verschrikkelijk erg,' snikt meester Frits.

Even later zien ze het toestel hoog in de lucht wegvliegen en
verdwijnt Renuka uit Nederland.

Zonder een woord te zeggen, lopen ze terug naar de auto.

14. Verdriet

De volgende dag zit meester Frits achter zijn bureau. Maar het gekke is dat hij helemaal niets zegt.

De kinderen komen binnen en zeggen hem vrolijk goedendag. Hij kijkt zelfs niet naar hen. Het enige wat hij doet, is naar buiten kijken.

Iedereen gaat op zijn stoel zitten en kijkt vol verwachting naar de meester. Is dit een grap? Gaat hij zo dadelijk iets geks doen?

Ze wachten en wachten.

Boudewijn begint tegen Godfried te praten.

Deesje vraagt aan Nilani hoe het op Schiphol was.

Steeds meer kinderen beginnen te praten.

Na tien minuten is het een lawaai van je welste. Het gekke is dat meester Frits helemaal niets zegt. Hij blijft gewoon naar buiten staren.

Omdat niemand weet wat hij moet doen, staat Rosa maar op om een boek te pakken. Ook anderen staan op om een boek of tekening te pakken.

Nilani snapt er niets van. Zou meester Frits ziek zijn? Voorzichtig loopt ze naar zijn tafel.

'Meester, meester,' zegt ze zacht.

'Ja, wat is er?' vraagt hij eentonig.

'Waarom gaat u ons geen lesgeven?'

Meester Frits trekt zijn schouders op. 'Ik weet het niet. Ik weet vandaag eigenlijk niks. Ik heb er gewoon geen zin in.'

'Maar het is een puinhoop in de klas, dat ziet u toch? U moet iets doen.'

'Laat ze maar. Ik wil gewoon wat denken. Meer niet.'

'Waar moet u dan aan denken?' probeert Nilani.

'Aan Renuka natuurlijk,' zegt hij. Terwijl hij dat zegt, blijft hij gewoon naar buiten staren. Hij kijkt Nilani geen moment aan. 'Zou ze al in Sri Lanka zijn? Als ze het vliegveld uitkomt, waar moet ze dan heen? Ze heeft geen huis, geen familie. Ik maak mij erg veel zorgen.'

'Renuka is flink,' probeert Nilani hem te troosten. 'U hoeft zich geen zorgen over haar te maken, echt niet. Ze redt zich wel.'

'Laat maar,' zegt de meester. 'Ik heb geen zin om te praten, ga maar iets voor jezelf doen.'

'Maar meester, hoort u niet hoe iedereen door elkaar schreeuwt, volgens mij hebben de andere klassen daar last van.'

'Ik heb geen zin om te praten. Ga nou maar iets doen.'

Nilani loopt weg van de tafel. Ze snapt niets van de meester.

'Jongens, wees nou een beetje stil. Ik denk dat juf Froukje heel veel last van ons heeft,' schreeuwt Violet door de klas.

Maar er is niemand die haar hoort. Er zijn te veel kinderen die iets roepen of schreeuwen.

Het duurt dan ook niet lang of de deur wordt opengerukt. In de deuropening staat meester Piet.

'Wat is hier aan de hand?' vraagt hij verbaasd.

De kinderen zijn in één klap stil.

'Frits, wat is er aan de hand?'

Meester Piet krijgt geen antwoord.

'Waarom maken jullie zo'n kabaal? Wat is er aan de hand?' vraagt hij dan maar aan de kinderen.

Niemand die iets durft te zeggen.

'Frits, waarom zeg je niks?'

Meester Frits haalt zijn schouders op.

'Boudewijn, wat is er gebeurd?' vraagt meester Piet, ten einde raad.

'Wij kwamen binnen en de meester zei helemaal niets. Toen begonnen we langzaam met z'n allen te praten,' legt Boudewijn verlegen uit.

'Ik denk dat meester Frits een beetje ziek is,' zegt meester Piet bezorgd. 'Ik denk dat hij te veel verdriet heeft om Renuka.'

Hij loopt naar meester Frits en legt zijn arm om hem heen. 'Frits, kom maar. Het lijkt mij beter dat je vandaag naar huis gaat.'

Zonder iets te zeggen staat meester Frits op en hij loopt naast meester Piet de deur uit.

Even later komt meester Piet terug in de klas om zelf les te geven.

ᘒᕤ

15. Veel liefs

'Meester Piet, weet u hoe het met meester Frits is?' vraagt Violet als meester Frits na een week nog steeds niet terug is.

'Ik heb hem gisteren nog gebeld en toen zei hij dat hij zich beter voelde. Maar zijn stem klonk nog steeds niet vrolijk.'

'Zullen we hem met de hele klas een kaartje sturen?' stelt Nilani voor.

'Een goed idee,' vindt meester Piet. 'Maar volgens mij zou hij het ook leuk vinden als jullie eens op bezoek komen.'

Violet en Rosa kijken elkaar eens aan. Bij meester Frits op bezoek? Ze zijn nog nooit bij hem geweest.

Maar 's middags bellen ze hem op om te vragen of hij dat leuk zou vinden.

'Ja hoor,' zegt hij. 'Ik heb al een tijdje niemand gezien. Ik zou het wel leuk vinden.'

Meester Frits woont in een klein huisje, niet ver van school. Violet, Rosa en Nilani kijken hun ogen uit. Er staan bijna geen meubels in het huis. Tegen één muur staat alleen een grote tafel. Aan de andere muren hangen schappen waarop allemaal stenen liggen, stenen in de mooiste kleuren. Violet, Rosa en Nilani lopen bewonderend rond.

'Ik moet nog steeds verschrikkelijk veel aan Renuka denken,' zegt de meester. 'Ik kan eigenlijk aan niks anders denken.'

'Meester Piet zei dat u zich beter voelde.'

'Och, ik vind het zo rot om te zeggen dat ik mezelf nog steeds niet goed voel.'

'Heeft u nog iets van Renuka gehoord?' vraagt Nilani.

Meester Frits kijkt opeens wat vrolijker. 'Gelukkig wel,' zegt hij.

'We e-mailen elke dag met elkaar. Jullie mogen wel wat mailtjes lezen.'

Omdat Violet en Nilani geen Engels kunnen lezen, moet Rosa zin voor zin vertalen.

Colombo, 23 mei

Lieve Frits,

De vlucht is goed verlopen. Zonder problemen kwam ik Sri Lanka in. Van het geld dat ik van jouw moeder heb gekregen, kan ik e-mailen vanuit een internetcafé.

Nadat ik uit het vliegtuig ben gestapt, ben ik stiekem terug-gegaan naar mijn oude dorp om te kijken of ik familie of be-kenden zag. Er was niemand, helemaal niemand. Onze huizen waren platgebrand. Ik durfde niet lang te blijven. Ik was veel te bang dat ze mij zouden vermoorden als ze mij zouden zien. Er waren alleen maar tranen in mijn ogen.

Ik ben zo snel mogelijk teruggereisd naar Colombo. Hier probeer ik nu ergens een goedkope kamer te vinden. Maar dat is mij nog niet gelukt. Vandaar dat ik in de buitenlucht heb ge-slapen, op het strand. Gelukkig is het hier nooit echt koud.

Het zou allemaal niet zo erg zijn als jij bij mij was. Ik mis je erg, heel erg zelfs.

Je moet goed voor jezelf zorgen en maak je geen zorgen om mij. Ik weet zeker dat we elkaar ooit weer terugzien. Ik hoop dat je aan mij blijft denken. Ik denk veel aan jou.

Doe de groeten aan jouw moeder en de kinderen in de klas. Speciaal aan Violet, Rosa en Nilani.

Veel liefs, Renuka, xxxx

Colombo, 27 mei

Lieve, lieve Frits,

Ik weet eigenlijk niet wat ik moet doen. Ik loop hier door Colombo en ik denk alleen maar aan jou. Gelukkig kan ik af en toe wat werken. Eergisteren kon ik afwassen in een restaurant en gisteren mocht ik met een rode vlag zwaaien toen ze de weg aan het maken waren. Hierdoor heb ik weer wat roepies verdiend.

Ik heb nog geen huis. Sinds ik bij jou weg ben, heb ik alleen met mensen gepraat om werk te vinden, verder met niemand. Ik vertrouw namelijk niemand. Als ze weten dat ik ooit ben gevlucht, stoppen ze mij misschien wel in de gevangenis.

Ik hoop dat met jou alles goed gaat.

Heel veel liefs, Renuka,
xxxxxxxxxxxxxxxxxxxxxxxxxxxxxxx

Colombo, 29 mei

Mijn lieve Frits,

Ik heb geluk. Sinds gisteren heb ik een heel klein huisje op het strand. Als je het ziet, moet je, denk ik, wel lachen. De muren zijn van palmbladeren, het dak van zink en het is heel klein, nog kleiner dan jouw badkamer. Maar dat maakt niet uit. Ik kan nu rustig slapen. Als je buiten slaapt, weet je nooit wat er gebeurt. Je kunt zomaar worden overvallen.

Hier in Sri Lanka is het verder rustig. Alleen in het noorden en het oosten van het land vechten de Tamils en de Singalezen nog met elkaar. Ik denk niet dat ik als Tamil hier een vaste baan kan krijgen. Dat is nu niet erg, want om de twee dagen vind ik wel ergens een baantje. Van honger zal ik zeker niet doodgaan, want achter mijn hutje staan allemaal palmbomen met een heleboel kokosnoten. Soms valt het eten zo uit de boom.

O, wat hoop ik je snel weer te zien. Spaar je al een beetje geld voor de reis naar Sri Lanka? Ik hoop van wel.

Je moet je niet verdrietig voelen, hoor. Ga maar weer snel aan het werk. Ik denk dat de kinderen je wel zullen missen. Als je thuiszit, word je alleen maar somberder.

Heel veel liefs van jouw Renuka,
xxxxxxxxxxxxxxxxxxxxxxxxxxxxxxx

16. Herrie

Twee dagen later is meester Frits terug op school. Maar misschien had hij beter nog even thuis kunnen blijven. Er is eigenlijk niks veranderd. Hij zit op zijn stoel, kijkt naar buiten en zegt helemaal niets.

'We moeten geen herrie gaan maken, hoor,' fluistert Violet tegen de andere kinderen in de klas als ze ziet dat meester Frits terug is. 'Daar kan hij niet tegen.'

'Ik vind dat we lief voor hem moeten zijn,' valt Nilani haar bij. 'Ik denk niet dat het al goed met hem gaat.'

Ze krijgt helemaal gelijk.

In het begin denken ze nog even dat het weer goed gaat met meester Frits. 'Hoi,' zegt hij vrolijk als de kinderen binnenkomen. Maar aan zijn stem hoor je wel dat hij niet echt vrolijk is.

'Ik heb er weer zin in,' zegt hij als iedereen zit. 'Zullen we eens lekker beginnen met rekenen?' Maar aan zijn stem hoor je wel dat hij er helemaal geen zin in heeft.

Op het bord schrijft hij een som. 'Het is een moeilijke som,' zegt hij. 'Wie weet de uitkomst?'

Alle kinderen pakken meteen hun rekenschriftje en beginnen hard te werken.

Terwijl iedereen druk aan het rekenen is, begint de meester alweer naar buiten te staren.

In de klas zitten een paar kinderen die heel goed kunnen rekenen, Simon bijvoorbeeld, en Jesse. Zij steken al na een minuut hun vinger op. Daarna steken steeds meer kinderen hun vingers in de lucht. Maar het lijkt wel alsof de meester niets ziet. Hij blijft gewoon naar buiten staren.

'Meester, meester, ik weet de uitkomst,' zegt Simon even later hardop. Hij krijgt pijn in zijn arm. Het wordt nu toch tijd dat de meester naar hem kijkt.

'Sorry, jongens,' zegt de meester afwezig. 'Ik moet even nadenken. Ga maar wat voor jezelf doen.'

'Maar wij weten de uitkomst van de som,' zegt Simon wanhopig.

'Ja, ja,' zegt meester Frits afwezig. 'Ik wil eerst zelf even nadenken.' Hij gaat achter zijn tafel zitten, zijn hoofd op zijn hand.

'Wat stom,' fluistert Simon tegen Boudewijn.

'Zie je nou wel dat hij nog niet beter is,' zegt Nilani tegen Violet.

Iedereen gaat iets voor zichzelf doen en probeert zo stil mogelijk te zijn. Maar ja, als je een uur voor jezelf moet werken, ga je je wel vervelen. Dan beginnen de eerste kinderen tegen elkaar te praten. Eerst zacht, daarna steeds harder. Een kwartier later is het een herrie van je welste. Maar meester Frits merkt er niets van. Hij blijft maar met zijn hoofd op zijn hand zitten.

De herrie wordt een storm. De kinderen praten nu zo hard dat ze elkaar bijna niet meer verstaan.

Dan wordt de deur opengegooid en staat meester Piet in de deuropening.

'Wat is dat voor een rotherrie hier,' roept hij boos.

In één keer is het muisstil.

'Meester Frits,' zegt hij streng. 'Waarom is het hier zo'n herrie?'

Meester Frits stopt eindelijk met staren. Verbaasd kijkt hij meester Piet aan. 'Ja, ja,' zegt hij afwezig. 'Goede vraag. Waarom is het hier zo'n herrie? Waarom doen jullie niet wat rustiger?'

Niemand durft iets te zeggen.

'U moet er gewoon voor zorgen dat uw kinderen niet zo'n herrie maken,' zegt meester Piet streng.

'Daar heeft u gelijk in, helemaal gelijk,' zegt meester Frits vriendelijk.

'Waar waren jullie mee bezig?' vraagt meester Piet nu vriendelijker.

'Ja, waar waren wij mee bezig?' vraagt meester Frits.

'U had een som op het bord geschreven,' durft Simon eindelijk te zeggen. 'Maar toen moesten wij iets voor onszelf gaan doen en daarna zei u niets meer.'

'Ja, ik geloof wel dat je daar gelijk in hebt. Wij waren met die som bezig. Dat klopt,' zegt de meester nu tegen meester Piet.

'Meester Frits, als u zich niet lekker voelt, heb ik het liefste dat u naar huis gaat en thuisblijft,' zegt meester Piet.

'Nee, nee, ik voel mij prima, echt waar,' zegt meester Frits. Maar iedereen hoort wel aan zijn stem dat hij zich helemaal niet prima voelt.

'Och, kinderen, ik zou het liefst de hele dag op een stoel zitten en alleen maar aan Renuka denken. Dan zou ik in de zevende hemel zijn, echt waar,' zegt hij als meester Piet de deur weer achter zich heeft dichtgedaan.

17. Ongerust

Die avond gaat Violet naar Rob. Even later klinkt het 'Vader Jacob' door de Giraffestraat en meteen daarna zie je alle kinderen naar de Geheime Vergaderkamer rennen.

De kinderen van de Giraffestraat kruipen in de Geheime Vergaderkamer weer dicht tegen elkaar aan. Jeroen pakt uit een kist die in het midden staat een paar kaarsen. Als de kaarsen branden, kunnen de zaklampen uit.

'Waarom heb je ons bij elkaar geroepen?' vraagt Deesje aan Rob als iedereen zit.

'Dat heb ik aan hem gevraagd,' zegt Violet, terwijl ze gaat staan. 'Ik maak mij namelijk erg ongerust.'

De kinderen van de Giraffestraat kijken elkaar nieuwsgierig aan. Waarover zou Violet zich ongerust maken?

'Ik maak mij ongerust over meester Frits. Het gaat nog steeds helemaal niet goed met hem. Hij is zo ongelukkig en het is zo'n herrie bij ons in de klas. Wie weet, ontslaat meester Piet hem wel omdat hij niet meer goed les kan geven.'

'Nou, zo'n vaart zal het wel niet lopen,' sust Boudewijn.

'Dat weet je niet. Het is zo'n rotzooi bij ons in de klas. Ik vind dat we meester Frits moeten helpen. We moeten hem op de een of andere manier opvrolijken en aan iets anders laten denken.'

'Als we hem kunnen helpen, moeten we dat zeker doen,' vindt Rosa. 'Maar hoe?'

Dan zegt niemand meer iets, want er is niemand die weet hoe ze meester Frits kunnen helpen.

'Hij zou het liefst de hele dag op een stoel zitten en aan Renuka denken. Dan is hij in de zevende hemel,' zegt Nilani. 'Dat zei hij zelf.'

'We kunnen hem wel een beetje naar de hemel sturen,' gniffelt Jesse.

'Wat bedoel je?' vraagt Violet.

'Je weet toch dat ik die kleine ballon heb gemaakt? Die heb ik jullie een tijdje terug laten zien. We kunnen meester Frits daar wel in laten stappen. Dan laten we hem een beetje omhoogvliegen en dan kan hij daar hoog in de lucht aan Renuka denken.'

Iedereen moet hard lachen: een meester in een luchtballon boven een school, dat is wel een grappig idee. Misschien vrolijkt dat hem wel een beetje op.

'En als meester Piet dan komt?' vraagt Joris.

'Dan zeggen we dat meester Frits even naar de wc is,' verzint Rosa.

'Zou meester Frits dat doen?' vraagt Violet zich af.

'Volgens mij wel,' zegt Rosa. 'Hij wil alleen maar aan Renuka denken.'

'Kun je die ballon mee naar school nemen?' vraagt Violet aan Jesse.

'Als jullie helpen.'

'Laten we hopen dat meester Frits het leuk vindt,' zegt Violet. 'Maar ik vind ook dat Renuka terug moet komen. Ze horen bij elkaar. Ze houden zoveel van elkaar en kunnen niet zonder elkaar. Dat is wel duidelijk.'

'Maar hoe krijgen we haar terug? Je weet ook wel dat ze niet meer terug mag naar Nederland,' zegt Godfried somber.

'Ik vind het gewoon stom,' zegt Violet kwaad. 'Er zijn twee mensen die van elkaar houden en die mogen niet bij elkaar zijn. Dat klopt niet. Ik vind dat Renuka terug moet komen.'

'Van wie mag ze eigenlijk niet terugkomen?' vraagt Godfried zich hardop af.

'Van de burgemeester, geloof ik,' zegt Josse.

'Nee joh, die heeft daar niets over te zeggen,' weet Simon. 'Volgens mij mag ze niet terugkomen van de minister.'

'Nou, dan gaan we toch naar de minister toe,' zegt Violet vastberaden.

'Volgens mij kunnen we beter naar de koningin,' zegt Nilani. 'Ik geloof dat die de baas over de ministers is.'

'Dat is niet zo'n gek idee,' zegt Violet en ze slaat vrolijk haar arm om Nilani heen. 'Wat dachten jullie ervan als we zaterdag naar de koningin gaan? Dan gaan we gewoon vragen of Renuka terug mag komen.'

'Leuk!' 'Goed idee!' 'Daar heb ik wel zin in!' klinkt het overal. De kinderen van de Giraffestraat hebben altijd wel zin in een reisje en de koningin hebben ze ook nog nooit gezien.

18. De zevende hemel

De volgende dag lopen de kinderen van de Giraffestraat samen naar school. Ze lopen in een grote groep, dicht bij elkaar. Midden in de groep dragen Tim, Daan, Jacob en Boudewijn een grote rieten mand. De andere kinderen lopen er dicht omheen, want niemand mag zien dat ze met die mand naar school lopen.

Daarachter lopen Jildau, Nilani, Jochem en Heleen. Zij sjouwen een grote ijzeren brander mee. Violet en Rosa dragen samen een enorme tas. In die tas zit een groot wit doek.

Bas en Jesse kijken eerst goed in de gang of de kust wel veilig is. Rustig kijken ze of alle meesters en juffen in de koffiekamer zitten. Pas als ze zeker weten dat er niemand in de gangen loopt, gaan de kinderen van de Giraffestraat snel naar binnen en zetten ze de rieten mand achter in de klas neer.

'Wat moeten we nu doen?' vraagt Violet aan Jesse.

'Ik zal de touwen aan de mand maken, gaan jullie maar naar buiten,' zegt Jesse rustig.

Meester Frits komt pas binnen als iedereen al in de klas zit.

'Hoi kinderen,' zegt hij. Hij probeert opgewekt te klinken. Maar aan zijn stem kun je wel horen dat hij alweer niet opgewekt is.

Deze dag verschilt niet van andere dagen. Hij gaat achter zijn tafel zitten, legt zijn hoofd op zijn hand en begint naar buiten te staren.

'Meester, meester,' zegt Nilani terwijl ze met haar arm zwaait om zijn aandacht te trekken.

'Nilani, wat is er?' zegt hij eindelijk.

'Wij hebben iets voor u meegebracht.'

'Dat is aardig,' zegt meester Frits vriendelijk.

Dan wijst Nilani naar de mand.

'Wat is dat?' vraagt meester Frits nieuwsgierig.

'Wij weten dat u niet gelukkig bent,' begint Nilani voorzichtig. 'Wij weten dat u het liefst hier helemaal niet in de klas wilt zijn. U zei gisteren dat u graag in de zevende hemel wilde zijn en alleen maar aan Renuka zou willen denken.'

De meester knikt. Daar heeft Nilani gelijk in.

'Jesse heeft een eenpersoonsballon gemaakt. Gisteren hebben we een vergadering gehouden en nou hebben wij een goed idee. U gaat in die ballon zitten en dan zorgen wij ervoor dat u naar boven vliegt. Wij blijven rustig in de klas zitten. U kunt daarboven rustig nadenken en dan wordt meester Piet niet meer kwaad op u.'

'Maar de ballon vliegt natuurlijk zomaar weg.'

'Nee hoor,' zegt Jesse, 'we maken hem goed vast aan de verwarmingsbuizen.'

De meester gniffelt. Hij in een ballon? Dat lijkt hem wel een leuk idee, wat lekker hangen in de lucht. Bij het idee wordt hij bijna vrolijk.

'Maar als meester Piet nou komt en ik ben weg?'

'Dan zeggen we gewoon dat u even naar de wc bent. Wij beloven dat we muisstil zullen zijn, dat niemand last van ons heeft,' zegt Nilani. Omdat meester Frits het wel een goed idee schijnt te vinden, wordt ze steeds enthousiaster.

Met een paar kinderen slepen ze de mand en het doek naar

het raam. Het is maar goed dat ze in de laatste klas van het gebouw zitten. Hierdoor kan niemand hen verder zien.

Ze tillen de mand naar buiten. Jesse stapt het raam uit en maakt de brander aan de mand vast. Als het hem eindelijk is gelukt, draait hij het gas open. Hij houdt er een lucifer bij en even later wordt er in het doek warme lucht geblazen. Het doek gaat wild op en neer, maar gaat steeds boller staan.

Even later kun je zien dat het een soort mini-ballon is. Boudewijn en Hester houden de mand met touwen vast, want de ballon wil maar één ding: naar boven.

'Nou meester, als u uw stoel nou pakt, dan zetten we die in de mand, kunt u daar lekker op zitten,' nodigt Jesse meester Frits uit.

Meester Frits begint nou toch wel wat angstig te kijken. 'Jullie maken het touw toch wel goed vast, hè?' vraagt hij zenuwachtig. 'Anders waai ik zo weg.'

'U hoeft nergens bang voor te zijn,' stelt Jesse hem gerust. 'O ja, als u gaat zakken, moet u even aan deze knop draaien. Dan gaat hij harder branden en komt er warme lucht in de ballon, waardoor u weer omhooggaat.'

Langzaam gaat Meester Frits hoger en hoger. Als hij zo'n tien meter boven de school hangt, steekt hij zijn duim op dat hij het zo wel goed vindt. De kinderen kijken nog eens of de touwen goed vastzitten en doen dan het raam dicht. Zo lijkt er niets aan de hand.

De klas blijft mooi rustig, al kost het de kinderen wel moeite. Er is zoveel om over te praten.

Halverwege de ochtend komt meester Piet binnen. Niet omdat het zo'n lawaai is, maar juist omdat het rustig is. Hij is verbaasd dat het eindelijk weer eens rustig is bij meester Frits.

'Hé, waar is meester Frits?' vraagt meester Piet als hij hem niet ziet.

'Hij is net even naar de wc,' zegt Nilani terwijl iedereen heel hard doorwerkt.

In de pauze halen ze meester Frits naar binnen.

'Volgens mij hebben we hem zo wel een beetje opgevrolijkt,' fluistert Nilani tegen Violet. 'Hij lijkt nu toch iets minder verdrietig.'

'Wat is het heerlijk daarboven,' zegt meester Frits wel een paar keer.

Bouke maakt een foto van hem als hij uit het mandje weer door het raam de klas instapt.

'Krijg ik die foto van jou als je hem hebt afgedrukt?' vraagt Nilani. 'Dan wil ik hem namelijk naar Renuka mailen.'

'Goed idee,' zegt Bouke.

19. De bus

'Maar hoe gaan we dan zaterdag naar de koningin?' vraagt Rosa aan Violet als ze samen van school naar huis lopen.

'Als we nou met z'n allen met de bus gaan?'

'Maar welke bus moeten we dan nemen? Het is helemaal in Den Haag. Het duurt vast heel erg lang voordat we er zijn en we moeten heel vaak overstappen,' zegt Nilani.

'Ben je nou helemaal gek, we huren natuurlijk een eigen bus,' zegt Violet, verontwaardigd omdat Nilani haar niet meteen begrijpt.

'En hoe gaan we dat dan betalen?'

'Dat lijkt mij niet zo moeilijk,' zegt Violet terwijl ze een steentje wegtrapt. Het steentje schiet over de stoep en ketst hard tegen een auto op.

'Oei,' zegt Violet.

Ze rennen snel weg, want stel dat iemand het heeft gezien.

'We maken allemaal onze spaarpotten leeg, volgens mij kunnen we dan best een bus huren. Ik zal vanmiddag eens bellen hoe duur dat is,' zegt Violet als ze weer stilstaan en uithijgen van het harde lopen.

De volgende dag weet Violet dat het 400 euro kost om een bus te huren. Als de kinderen van de Giraffestraat alle spaar-

potten leegmaken, zien ze dat ze samen zelfs 700 euro hebben. Ze kunnen dus gemakkelijk een bus betalen.

Zo komt het dat de kinderen van de Giraffestraat op zaterdag om zes uur hun wekker zetten. Om zeven uur stappen ze in een bus die midden in de straat staat te wachten. Op de ruggen van de kinderen van de Giraffestraat dansen volle rugzakken. Hun ouders liggen nog nietsvermoedend te slapen. Op de tafels in de woonkamers hebben de kinderen van de Giraffestraat briefjes neergelegd waarop staat dat ze met z'n allen een dagje uit zijn.

Als ze naar Den Haag rijden, waar de koningin woont, is het een enorm lawaai in de bus. Het lijkt wel een schoolreisje. Ze zingen uit volle borst dat de chauffeur een beetje door moet rijden en dat ze het potje met vet al op de schoorsteen hebben gezet.

'Waar moeten jullie eigenlijk heen in Den Haag?' vraagt de chauffeur aan Nilani die voorin zit.

'Naar de koningin,' zegt Nilani, alsof het de gewoonste zaak van de wereld is.

'Jullie willen het paleis wel eens zien,' zegt de chauffeur.

'Ja, ook wel, maar we gaan naar de koningin. Weet u het paleis?'

'Dat weet ik wel. Zijn jullie door haar uitgenodigd?'

'Nee hoor, we gaan gewoon op bezoek. We willen haar spreken.'

De chauffeur moet lachen. 'Dat lukt jullie nooit.'

'Jawel, hoor,' zegt Nilani zelfverzekerd. 'Wedden?'

Als ze halverwege zijn, gaat de mobiele telefoon van Violet.

'Met mij,' hoort ze haar vader zeggen. 'Ik vond net een briefje op tafel dat jullie een dagje uit zijn. Waar zijn jullie heen?'

'Naar Den Haag.'

'En had je dat niet even kunnen vragen?' zegt haar vader boos.

'Nee, want dan had je het waarschijnlijk niet goedgevonden.'

'Wat had ik dan niet goedgevonden?'

'Dat wij naar Den Haag gaan, naar de koningin,' zegt Violet.

'De koningin? Wat gaan jullie daar doen?'

'We gaan vragen of Renuka terug mag komen.'

'Zijn jullie nou helemaal gek geworden! Ik wil dat jullie onmiddellijk terugkomen. Begrepen?' zegt haar vader, nog bozer.

'We komen heus wel terug, echt waar. We zitten nu in de bus en gaan eerst even bij de koningin langs. Daarna komen we terug.'

'Ik wil dat jullie nú terugkomen,' dringt de vader van Violet aan.

'Straks,' houdt Violet vol.

'Dan kom ik jullie halen,' zegt haar vader, die nu helemaal boos is.

'Maar ...'

Maar het heeft geen zin dat Violet nog iets zegt. Haar vader heeft boos opgehangen.

'Wat een mooi gebouw,' zegt Violet bewonderend als ze voor het paleis van de koningin stoppen.

'Komt u ons aan het eind van de dag weer ophalen?' vraagt Rosa aan de chauffeur. 'Ik denk dat we dan wel klaar zijn.'

'Tegen vijf uur?' vraagt de chauffeur.

'Prima.'

Dan staat iedereen opgewonden op en probeert zo snel mogelijk uit de bus te komen.

'Ik ben nog nooit in Den Haag geweest,' zegt Daan.

'Ik ook niet,' zegt Boudewijn. 'Ik heb wel gezien dat het een grote stad is.'

'Wat zeg je?' zegt Daan. Hij kan Boudewijn niet verstaan, want de kinderen van de Giraffestraat praten opgewonden door elkaar heen.

'Nou moeten jullie wel rustig zijn,' zegt Violet als de bus wegrijdt en iedereen de chauffeur enthousiast uitzwaait. 'De koningin mag niet denken dat het een grap is. We zijn hier wel voor een serieuze zaak.'

'Dat is waar,' zegt Godfried.

In een keurige rij lopen ze naar de ingang van het paleis. Bij de ingang staan twee marechaussees, een geweer op hun borst.

20. De bestorming

'Dag, wij zijn de kinderen van de Giraffestraat,' zegt Nilani heel beleefd als ze voor de marechaussee staat.

'Leuk,' zegt de man. 'Dus jullie komen naar het paleis kijken?'

'Nee,' zegt Nilani. 'We willen de koningin graag spreken.'

'De koningin?' De marechaussee kijkt verbaasd.

'Woont de koningin hier dan niet?' vraagt Nilani.

'Dat wel,' zegt de marechaussee, 'maar ik weet dat jullie geen afspraak hebben.'

'Dat klopt,' zegt Nilani. 'Maar we willen haar toch graag spreken.'

'Dat zal echt niet gaan. De koningin heeft het heel erg druk,' laat de man streng weten. Zijn geweer houdt hij zelfverzekerd op de borst.

'Toch willen we graag dat u ons doorlaat,' gaat Nilani gewoon verder.

'Wij hebben de opdracht niemand, maar dan ook niemand door te laten.'

Nilani loopt terug naar de andere kinderen van de Giraffestraat die even verderop zijn blijven wachten.

'Ze willen ons niet doorlaten,' laat Nilani weten.

'Waarom niet?' vraagt Godfried.

'De koningin heeft het druk en ze hebben de opdracht om niemand door te laten.'

'Hmm,' zegt Joris Lap.

'We zijn hier toch niet voor niets gekomen?'

'Dat dacht ik ook,' zegt Rosa.

'Het is maar goed dat we onze rugzakken bij ons hebben,' zegt Godfried beslist. 'Plan twee treedt nu in werking. Als ik "ja" zeg, rennen we met z'n allen naar binnen.'

En inderdaad... Als Godfried 'ja' zegt, rennen de kinderen van de Giraffestraat zo hard als ze kunnen op de poort af.

De marechaussees weten niet wat hun overkomt. Een van hen gaat nog midden op de weg staan. Niet dat het iets helpt. Hij wordt bijna omvergelopen door de rennende kinderen. Links en rechts wordt hij gepasseerd.

'Sta stil of ik schiet,' roept de andere marechaussee.

'Ben je nou helemaal gek geworden,' hoort Nilani de een in paniek roepen. 'Je gaat toch niet op kinderen schieten?'

'Maar ze bestormen het paleis,' hoort ze de ander tegenwerpen.

'Het zijn maar kinderen, dat zie je toch,' zegt de een weer.

Als Violet omkijkt, ziet ze hoe de ene marechaussee naar de ander loopt en zijn geweer afpakt.

Maar er is geen kind dat zich er iets van aantrekt. Ze rennen en rennen tot ze binnen de hekken van het paleis zijn.

'Stop maar, we zijn er,' hijgt Joris Lap.

Zoals ze in de Geheime Vergaderkamer hadden afgesproken, lopen ze naar het grasveldje bij het paleis en zo snel als ze kunnen, zetten ze hun tentjes op.

Een half uur later lijkt het terrein rond het paleis wel een camping. Het laatste tentje is nog niet opgezet of er komen een stuk of dertig marechaussees aangelopen. De man met de meeste strepen op zijn mouw loopt voorop.

Hij schraapt zijn keel eens, zodat iedereen naar hem kijkt.

Dan vraagt hij plechtig wat zij daar nou toch aan het doen zijn.

'We willen de koningin graag spreken,' laat Nilani opnieuw weten. Ze hoort het zichzelf zeggen. Ze snapt zelf niet dat ze dat allemaal durft. Maar het is voor Renuka, denkt ze maar steeds, we doen het allemaal voor Renuka.

'De koningin praat alleen met jullie als jullie een afspraak met haar maken,' zegt de man streng. 'Ik sommeer jullie onmiddellijk het terrein te verlaten.'

Op hetzelfde moment komt er een televisieploeg het terrein oplopen en worden de kinderen van de Giraffestraat uitgebreid gefilmd. De man van de marechaussee staat er wat verlegen bij.

'We gaan echt niet weg,' zegt Violet als de man voor de vijfde keer zegt dat ze het terrein moeten verlaten.

Meteen daarna komt er nog een televisieploeg en nog een. Daartussendoor lopen journalisten van kranten en persfotografen. Het wemelt nu van de mensen. Het ene na het andere kind uit de Giraffestraat wordt gevraagd waarom ze dit doen, waarom ze hun tenten bij het paleis opzetten.

Nu er zo veel journalisten zijn, durft niemand meer in te grijpen, bang dat er rotverhalen in de kranten komen of op televisie.

෨ල

21. De koningin

Twee uur nadat ze hun tenten hebben opgezet, komt de vader van Violet de tuin van het paleis inrennen.

'Waar zijn jullie mee bezig! Dit kan niet! Ik schaam mij dood!' roept hij al van ver. Blijkbaar heeft de marechaussee hem gewoon binnengelaten. Misschien hopen ze dat hij de kinderen van de Giraffestraat op andere gedachten kan brengen.

'Leuk dat je er bent,' zegt Violet. 'Wij willen Renuka terug. Wij gaan niet eerder weg voordat ze terug mag komen. Meester Frits is erg ongelukkig en dat willen wij niet.'

Twee uur daarna komt meester Frits binnenrennen. 'Waar zijn jullie mee bezig! Dit kan niet!' roept hij, net als de vader van Violet.

'We doen het allemaal voor u,' zegt Rosa. 'Wij willen dat Renuka terugkomt.'

'Dat vind ik erg lief van jullie,' zegt meester Frits, 'maar daarom hoeven jullie de koningin nog niet lastig te vallen.'

Om vijf uur komt de bus weer voor het paleis rijden. Violet gaat tegen de chauffeur zeggen dat hij wel naar huis kan.

'Veel succes,' lacht de chauffeur. 'Ik vind het wel goed waar jullie mee bezig zijn.'

Langzaam wordt het avond. En hoe de vader van Violet en meester Frits ook praten, de kinderen van de Giraffestraat weigeren weg te gaan uit de tuin van de koningin. De televisieploegen vinden het prachtig. Zoveel tenten in de paleistuin, dat hebben ze nog nooit gezien. Dat levert mooie beelden op voor de televisie, ze zijn er erg blij mee.

Nilani verschijnt zelfs op het Jeugdjournaal. Voor de camera mag ze uitleggen waarom de kinderen van de Giraffestraat dit doen.

'Is Renuka jouw zus?' vraagt de interviewster van het Jeugdjournaal.

'Nee hoor!' zegt Nilani verbaasd. 'Waarom vraagt u dat?'

'Omdat ik denk dat jij ook uit Sri Lanka komt.'

'Dat is zo,' zegt Nilani. 'Maar ik ben geadopteerd. Wij doen dit omdat wij Renuka en onze meester leuk vinden.'

'Volgens mij laat de koningin zich vandaag niet zien,' zegt Godfried als het elf uur is. 'Ik denk dat we maar moeten gaan slapen. Ik wil morgen wel fris zijn.'

De meeste kinderen zijn blij dat hij dat zegt, want velen liggen al half te slapen.

'En wat moeten wij nu doen?' vraagt de vader van Violet.

'Je kunt wel bij ons in het tentje komen slapen,' zegt Violet. Ze heeft samen met Rosa een tentje waarin drie mensen passen.

'Ik ga niet bij de koningin in de tuin slapen, dat mag niet,' zegt haar vader beslist. 'Jullie moeten gewoon stoppen met dit domme gedoe.'

'Sorry papa, maar wij gaan gewoon door,' zegt Violet zelfverzekerd.

'Zullen wij maar een hotelletje in Den Haag nemen?' stelt meester Frits voor.

'Goed idee,' zegt de vader van Violet kwaad.

'En hebben jullie lekker geslapen?' vraagt de koningin als de kinderen van de Giraffestraat aan het ontbijt zitten.

Er is niemand die iets terug durft te zeggen. Opeens staat daar de koningin voor hen, de koningin die ze zo vaak op televisie hebben gezien.

'Ik vroeg of jullie lekker hebben geslapen in mijn tuin?' vraagt de koningin nog een keer.

'Hebben jullie je tong verloren?' vraagt ze, als nog steeds niemand antwoord geeft.

'Wij hebben inderdaad heerlijk geslapen,' zegt Nilani als eerste. 'Fijn dat u ons hier hebt laten slapen.'

'In het begin was ik wel een beetje boos,' zegt de koningin. 'Maar later vond ik het ook wel weer grappig. Zo veel kinderen in mijn tuin, dat komt niet vaak voor. Maar waarom doen jullie dit eigenlijk?'

Op dat moment komen de vader van Violet en meester Frits de tuin inlopen.

'Om hem,' zegt Violet, terwijl ze naar meester Frits wijst.

Dan vertelt ze het hele verhaal over meester Frits en Renuka, dat Renuka uit Nederland is gezet en dat ze dat erg gemeen vinden. Onder het vertellen laat ze foto's zien van meester Frits en Renuka.

Terwijl Violet het verhaal vertelt, knikt de koningin ernstig.

'Dat is geen leuk verhaal,' zegt ze als Violet is uitverteld.

'Maar u kunt daar wel iets aan doen,' zegt Violet. 'U moet gewoon zeggen dat Renuka terug mag komen.'

'Weet je dat ik daar eigenlijk niks over heb te zeggen?' zegt de koningin.

'Maar u bent toch de baas van het land?'

'Was dat maar waar,' zegt de koningin en ze moet hard la-

86

chen. 'De regering is de baas, de minister-president, maar ik kan wel zorgen dat hij hier komt. Zal ik hem eens bellen?'

'Nee, nee, dat hoeft echt niet,' zegt de vader van Violet.

'Pardon, maar wie bent u?' vraagt de koningin verstoord.

'Ik ben de vader van dat meisje,' zegt hij en hij wijst op Violet.

'Nou, dat meisje weet heel goed wat ze wil. Als u het goedvindt, luister ik even niet naar u. Uw dochter luistert ten slotte ook niet naar u, wat ik trouwens erg lastig vind. Ik heb liever geen kinderen in mijn tuin.'

De vader van Violet moet blozen. Het is lang geleden dat hij een standje heeft gekregen.

De koningin draait zich om en schrijdt waardig haar paleis binnen.

Een half uurtje later besluit meester Frits eens naar een krantenkiosk te gaan. Als hij terugkomt, heeft hij een stuk of tien kranten onder zijn arm. Ze staan op elke voorpagina, met foto.

KINDEREN BEZETTEN PALEISTUIN.

TUIN KONINGIN WORDT CAMPING.

KINDEREN IN ACTIE VOOR ASIELZOEKSTER.

22. De liefde in het spel

Die middag verschijnt de koningin opnieuw op het bordes. De grote tuindeuren zwaaien open. Naast haar staat een man met een rood hoofd.

'Waarom heeft u mij laten komen?' hoort Nilani hem zeggen.

De koningin wijst. 'Ze moeten het zelf maar vertellen.'

De koningin loopt nog steeds heel waardig, maar de man loopt met driftige passen naar Violet, Rosa en Nilani.

'Waarom zijn jullie hier?' vraagt de man heel onaardig.

'Ik ben Nilani en dit zijn Violet en Rosa. Wie bent u?' vraagt Violet, die het helemaal niet leuk vindt als mensen niet aardig zijn.

'Ik ben de minister-president. De koningin heeft mij laten komen. Maar waarom zijn jullie hier?'

Dan vertelt Nilani hem alles over Renuka, dat zij het land uit moest en dat meester Frits zo verliefd is. 'Volgens de koningin bent u de enige in het land die daar wat aan kan doen,' besluit Nilani haar verhaal.

'Heeft u dat gezegd?' vraagt de minister-president snibbig aan de koningin.

'Ik heb alleen gezegd dat ik er niks aan kan doen,' zegt de koningin verdedigend.

'Ik ook niet,' zegt de minister-president. 'Regels zijn regels. Sri Lanka is een veilig land en dat betekent dat iemand terug moet. We kunnen niet zomaar iedereen in dit land toelaten.'

'Renuka is niet zomaar iedereen. Renuka is Renuka,' zegt Nilani verontwaardigd.

'Als we één uitzondering maken, loopt het uit de hand,' zegt de minister-president beslist. 'Dan denkt iedereen dat hij zomaar in Nederland terechtkan.'

'Het gaat er niet om of Sri Lanka veilig is, het gaat erom dat Renuka en meester Frits verliefd zijn. Ik vind het heel gemeen dat twee mensen die verliefd zijn, niet bij elkaar mogen wonen,' zegt Rosa boos.

'Ja, luister eens, daar kunnen we geen rekening mee houden, hoor. Dan kan iedereen wel verliefd worden.'

'Wat een flauwe opmerking,' zegt de koningin. 'U weet ook wel dat niet iedereen verliefd wordt.'

'Ik wil dat die kinderen nu de tuin verlaten,' zegt de minister-president.

'Wij gaan niet,' zegt Violet beslist. 'Wij gaan pas als Renuka in Nederland mag wonen.'

'Dan stuur ik de politie op jullie af,' zegt de minister-president die steeds driftiger wordt.

'Mooi gezicht,' zegt de koningin. 'Heeft u al die televisieploegen gezien, al die journalisten buiten? Dat levert leuke koppen in de krant op. MINISTER-PRESIDENT SLEURT KINDEREN UIT TUIN. MINISTER-PRESIDENT MISHANDELT KINDEREN. Volgende maand zijn er verkiezingen, u wilt daarna toch ook weer minister-president worden?' vraagt de koningin met een ondeugend lachje.

Na die woorden doet de minister-president opeens heel anders. 'U heeft niet helemaal ongelijk,' mompelt hij. 'We kunnen de zaak natuurlijk ook van de andere kant bezien. Regels zijn regels, maar als de liefde in het spel is, vinden de mensen het misschien wel goed als we van de regels afwijken. Misschien vinden de mensen het wel heel goed van mij als ik van de regel afwijk. En als ze het goed vinden, stemmen ze misschien wel op mij.'

'Ik hoor het al,' zegt de koningin. 'U bent niet voor niets minister-president, u bent een verstandig mens.'

De minister-president gaat opeens heel erg rechtop staan. 'Laat alle televisieploegen en alle journalisten maar in de tuin komen. Dat vindt u toch goed, hè?' vraagt hij nog even aan de koningin.

'Natuurlijk,' zegt zij waardig.

Even later staat iedereen om de minister-president heen.

'Meester Frits, wilt u even komen?'

Verlegen gaat meester Frits naast de minister-president staan.

'Ziet u deze jongeman?' vraagt hij aan iedereen die in een kring om hen heen staat. 'Deze jongeman is verliefd. Verliefd op iemand uit Sri Lanka. Het is een jonge vrouw die wij pas-geleden hebben teruggestuurd. Dat is de regel: als een land veilig is, moet iemand terug. Dit keer wil ik voor hem een uit-zondering maken. Deze jongeman, meester Frits, is ziek van ellende, ziek van verliefdheid. Daarom wil ik een uitzonde-ring maken.'

Hij is nog niet uitgesproken of iedereen begint hard te klap-pen.

'Ik ga volgende maand zeker op hem stemmen bij de ver-kiezingen,' zegt de moeder van Rosa als alle kinderen van de Giraffestraat weer lekker thuis zijn.

23. Somber

Als ze maandagochtend op school komen, staat meester Piet hen op te wachten met een dikke stapel kranten onder zijn arm.

'Jullie zijn geweldig,' roept hij al van ver. 'Hebben jullie de kranten gelezen?'

Ze gaan meteen naar hun klas. Meester Piet deelt de kranten uit. Ze staan opnieuw op elke voorpagina. Op de voorkant van De Telegraaf staat een foto van Nilani samen met de koningin en de minister-president, terwijl ze in tranen van blijdschap uitbarst. ONZE MINISTER-PRESIDENT IS EEN GOED MENS, staat er groot boven.

DE KINDEREN VAN DE GIRAFFESTRAAT KRIJGEN HUN ZIN, staat in de Volkskrant. Daaronder een foto waarop ze hun tenten afbreken.

'Geweldig,' roept meester Piet steeds. 'In het Handelsblad

staat zelfs onze school genoemd,' zegt hij trots. En hij leest voor: 'Het verhaal begint eigenlijk op basisschool De Beestenbende, waar meester Frits lesgeeft. Het is een leuke school waar soms mensen worden uitgenodigd om iets over zichzelf te komen vertellen. Zo werd Renuka uit Sri Lanka ge- vraagd iets over haar verleden te vertellen, waarom ze in Nederland asiel vroeg … Ze schrijven dus zelfs dat we een leuke school zijn, wat goed.'

'Waar blijft meester Frits eigenlijk?' vraagt meester Piet als het al kwart voor negen is. 'Hij had er al om half negen moe- ten zijn. Hij is toch wel met jullie mee teruggekomen uit Den Haag?'

'Ja, hoor,' zegt Violet. 'Hij is zelfs met onze bus meegere- den.'

Om kwart over negen is hij er nog steeds niet. De kinderen zitten rustig in de kranten te lezen, maar sommigen hebben alle artikelen al uit.

Eindelijk, om half tien, komt meester Frits binnen.

'Hoi meester,' roepen de kinderen bijna in koor.

'Jongen, gefeliciteerd,' zegt meester Piet joviaal en hij geeft meester Frits een hand. 'Geweldig dat Renuka weer naar

Nederland mag komen. Ik ben trots op jullie.'

De meester knikt. 'Ja, erg fijn,' zegt hij, maar hij kijkt er niet vrolijk bij.

'Hoe komt het dat je te laat bent?' vraagt meester Piet.

'Nou, volgens mij ben ik opgebeld door het hele land. Zelfs mensen met wie ik op de basisschool heb gezeten belden mij om te feliciteren'

'Het is ook geweldig, man. Ik wou dat ik erbij was geweest. Waarom heb je mij niet gebeld? Het had mij leuk geleken om de koningin eens te ontmoeten,' zegt meester Piet. Je hoort dat hij jaloers is op meester Frits.

'Maar het kan niet altijd feest zijn,' zegt hij even later. 'Je moet toch ook weer gewoon lesgeven.'

'Ja,' zegt meester Frits. Hij kijkt nog steeds niet blij.

Als meester Piet weg is, gaat hij zuchtend achter zijn tafel zitten. Het lijkt wel alsof er dit weekend niets is gebeurd. Hij is nog net zo somber als vorige week.

'Gaat het wel goed met u?' vraagt Rosa.

'Jawel hoor,' zegt hij zo blij mogelijk. 'Het was een leuk weekend, we hebben heel wat meegemaakt.'

'Maar u ziet er niet vrolijk uit,' zegt Rosa. 'U moet toch blij zijn dat Renuka nu terug kan komen?'

'Dat is waar,' zegt meester Frits somber. 'Daar heb je gelijk in, maar daar zit nu precies het probleem. Hoe komt Renuka terug? Renuka heeft helemaal geen geld. En eerlijk gezegd heb ik ook geen geld. Ik heb helemaal geen spaargeld en het kost toch wel duizend euro om haar terug te laten vliegen. Ik weet niet hoe ik dat moet betalen.'

'Is dat alles?' vraagt Violet. 'Bent u daarom zo somber? Maakt u zich daarom zorgen?'

'Eigenlijk wel.'

'Nou, dat lijkt mij geen probleem. Wij zorgen wel dat u dat geld krijgt,' zegt Violet geheimzinnig.

'Wie is wij?' vraagt meester Frits wantrouwend.

'De kinderen van de Giraffestraat, natuurlijk.'

'Maar ik kan toch geen geld van jullie aannemen?' zucht meester Frits weer.

'Natuurlijk wel. Wij gaan het speciaal voor u verdienen. Wij zorgen dat u binnen drie weken het geld heeft. Zegt u maar tegen Renuka dat ze over vier weken hier is.'

'Ja, ja,' zegt meester Frits. 'Eerst zien, dan geloven.'

24. Ruzie

'Hoe kun je dat nou beloven?' zegt Godfried boos tegen Violet als ze met z'n allen die avond in de Geheime Vergaderkamer zitten.

'Ik vind het zo zielig voor hem dat hij geen geld heeft om Renuka over te laten komen,' verdedigt Violet zich met zachte stem.

'Het is nog zieliger voor hem als we het geld straks toch niet bij elkaar krijgen,' werpt Godfried tegen.

'Het lukt ons altijd om geld te verdienen,' zegt Violet nog eens.

'Duizend euro is veel geld,' zegt Joris. 'We hadden beter eerst kunnen proberen om het geld bij elkaar te krijgen en het daarna pas aan hem te geven. Nu heeft hij hoop dat het ons lukt.'

'Stop nou met bekvechten,' komt Nilani Violet te hulp. 'Laten we liever bedenken hoe we het geld bij elkaar kunnen krijgen. Heeft iemand een idee?'

Maar er is niemand die een idee heeft. Veel kinderen zitten nog met kwaaie koppen naar Violet te kijken. Zij zijn boos omdat ze het zomaar heeft beloofd.

'Nou, sorry hoor,' zegt Violet als het heel lang stil blijft. 'Ik zal zoiets nooit meer zeggen.'

'Dat is je geraden ook,' zegt Godfried.

'Jij moet morgen zelf maar tegen meester Frits zeggen dat het ons niet lukt,' zegt Boudewijn.

Violet knikt. Ze voelt de tranen in haar ogen branden. Ze moet erg haar best doen om niet te gaan huilen, want dat gunt ze Godfried en de anderen niet.

'Niemand een idee?' vraagt Godfried als ze weer een tijdje hebben zitten nadenken.

Maar iedereen schudt zijn hoofd. Niemand heeft een idee.

'Laten we dan maar gewoon buiten gaan spelen. Dan heeft het geen zin om hier nog langer bij elkaar te zitten,' zegt Boudewijn en hij staat als eerste op. Iedereen heeft er genoeg van om zo chagrijnig in de Geheime Vergaderkamer te zitten.

'Het is lang geleden dat we ruzie hebben gehad in de Giraffestraat,' zegt Rosa als ze een half uur later in de Berkenhut zit, samen met Violet en Nilani.

'Wat zeg je?' vraagt Nilani opeens verrast.

'Hoezo? Verstond je me niet? Word je soms doof?' vraagt

Rosa, die door de vergadering chagrijnig is geworden.

'Nee, hoor. Maar wat zei je?' herhaalt Nilani nog eens.

'Het is lang geleden dat we ruzie hebben gehad in de Giraffestraat.'

'De Giraffestraat. Natuurlijk. Dat is het.'

'Wat is het?' vraagt Violet nieuwsgierig.

'Dat vertel ik jullie dadelijk wel,' zegt Nilani. Ze staat snel op om Rob te zoeken.

Even later klinkt het 'Vader Jacob' door de straat.

'Waarom worden we bij elkaar geroepen? Ik moet zo thuiskomen,' zegt Godfried als hij de Geheime Vergaderkamer binnenkruipt. Hij heeft nog steeds een rothumeur.

Nilani trekt zich er niets van aan en gaat enthousiast staan als de vergadering begint. 'Ik weet hoe we meester Frits kunnen helpen,' zegt ze terwijl ze de groep rond kijkt.

'Ik ben benieuwd,' zegt Godfried zonder veel interesse.

'Doe niet zo flauw,' zegt Violet. 'Nilani, vertel nou wat je hebt bedacht.'

'In welke straat wonen wij?' vraagt Nilani.

'Wat een stomme vraag,' zegt Boudewijn. 'In de Giraffestraat, natuurlijk.'

'Precies. Maar waarom heet deze straat zo?'

'Omdat we in de dierenbuurt wonen.'

'Goed zo,' zegt ze vrolijk. 'Maar weet je wat ik nou zo raar vind? Dat er nog nooit een giraffe in de Giraffestraat is geweest.'

'Nee, er is ook nog nooit een leeuw in de Leeuwenstraat geweest en dat is maar goed ook,' gaat Boudewijn door.

'Maar het zou wel leuk zijn als er een tijdje een giraffe in de

Giraffestraat zou wonen,' lacht Nilani.

'Dat zou wel een gek gezicht zijn,' geeft Rosa toe. 'Maar wat wil je daarmee?'

'Ik begrijp het al,' zegt Violet nu ook enthousiast. 'Een giraffe in de achtertuin. Volgens mij willen daar veel mensen naar komen kijken. En als we daar dan een toegangsprijs voor vragen ...'

'Precies,' zegt Nilani. 'En dan mag je natuurlijk ook nog, als je betaalt, met de giraffe op de foto.'

Iedereen geeft nu toe dat het een heel goed idee is.

'Maar hoe komen we aan een giraffe?' vraagt Boudewijn zich af.

Natuurlijk, die vraag had Nilani wel verwacht. Gelukkig heeft ze daar al over nagedacht ...

25. Burger's Zoo

Op woensdagmiddag zitten Violet, Rosa en Nilani in de trein naar Arnhem. Op het station nemen ze de bus naar Burger's Zoo en een kwartiertje later zitten ze in de grote kamer van de directeur.

Rosa kijkt op haar horloge. 'We wachten hier al twintig minuten. We hadden om vier uur een afspraak. Waarom komt die man niet?' zegt ze geïrriteerd.

Violet, Rosa en Nilani kijken elkaar aan. De kamer ziet er zo deftig uit dat ze nauwelijks iets durven te zeggen. Aan de muur hangen allemaal foto's van dieren, dus ze hebben gelukkig wel iets om naar te kijken.

Pas om half vijf zwaait de deur open en komt de directeur binnen. 'Sorry dat ik jullie heb laten wachten,' zegt hij meteen als hij binnenkomt. 'Maar een van onze leeuwen kreeg jongen en dat ging een beetje fout. De dierenarts moest erbij komen om de jongen te halen. Bij dat soort gevallen wil ik er wel bij zijn. Dat is altijd erg spannend.'

'Hindert niet, hoor,' liegt Rosa. 'We dachten al dat er zoiets aan de hand was.'

'Waarom hebben jullie eigenlijk een afspraak met mij gemaakt?'

Violet, Rosa en Nilani kijken elkaar zenuwachtig aan. Waarom hebben ze nou niet gewoon afgesproken wie het woord gaat doen?

'Nou Nilani, als jij nou vertelt waarom we hier zijn. Het

was jouw idee,' zegt Violet ten slotte omdat de stilte zo lang duurt.

Nilani schuift zenuwachtig op haar stoel op en neer. 'Wij zouden graag twee weken een giraffe van u willen lenen.'

Als ze dat heeft gezegd, schiet de directeur in de lach. 'Een giraffe? Nou, toe maar, alsof het niks is. Weet je, we hebben nog nooit een dier uitgeleend en ik weet ook wel zeker dat we dat nooit zullen doen. Daar komt bij dat een giraffe een heel speciale verzorging heeft, dat kunnen jullie echt niet. Maar waarom willen jullie een giraffe lenen?'

Dan vertelt Nilani over meester Frits, Renuka en de koningin. Dat Renuka terug mag komen, maar dat meester Frits niet genoeg geld heeft en dat zij toen het idee kreeg van de giraffe.

'Goh, wat een goed idee,' moet de directeur toegeven. 'En weet je, ik heb jullie verhaal wel gevolgd in de krant. Ik heb alle artikelen gelezen over jullie logeerpartij in de tuin van de koningin. Dat vond ik erg goed gedaan van jullie.'

Violet laat foto's zien. De foto's die ze ook aan de koningin heeft laten zien. Een foto van meester Frits alleen, een van Renuka alleen, maar ook een paar foto's waar ze samen op staan, voor het asielzoekerscentrum en bij het afscheid nemen op Schiphol.

'Bent u getrouwd?' vraagt Rosa.

'Zeker,' zegt de directeur. 'En ik heb drie kinderen: twee zonen en een dochtertje.'

'Stel je voor dat uw vrouw niet in Nederland mocht wonen. Dat ze het land uit moest.'

'Ik moet er niet aan denken,' zegt de directeur. Terwijl hij het zegt, moet hij weer lachen. 'Weet je, net zei ik nog tegen jullie dat wij nooit dieren uitlenen. Ik denk dat dat niet waar was. Volgens mij gaan wij nu toch een giraffe uitlenen.'

'U bedoelt dat wij een giraffe mogen meenemen?' zegt Nilani ongelovig.

De directeur moet opnieuw hard lachen. 'O, je wilt hem nu meteen meenemen? Heb je soms een halsband voor hem meegenomen? Hoe denk je hem te vervoeren? In een trein?'

Nilani moet toegeven dat ze daar nog niet over hebben nagedacht.

'Neem maar van mij aan dat het heel moeilijk is om een giraffe te vervoeren,' zegt de directeur. 'Het is nog moeilijker om hem goed te verzorgen. Toch ga ik dat allemaal voor jullie regelen. Want ik vind dat meester Frits en Renuka bij elkaar horen. Ik regel vervoer voor de giraffe en een verzorger voor twee weken. Volgens mij is dat wel een stunt: een giraffe in de Giraffestraat. Dat is ook wel goede reclame voor onze dierentuin, lijkt mij.'

Zo komt het dat op vrijdag een grote vrachtwagen de Giraffestraat inrijdt. Uit de vrachtwagen steekt de kop van een giraffe. Iedereen die langskomt, blijft staan om te kijken. Een giraffe, dat zie je niet elke dag in de stad. Met moeite komt het grote beest uit de vrachtwagen.

Dan loopt de verzorger met de giraffe naar de tuin van Lisa en Josse. Zij hebben verreweg de grootste tuin van de Giraffestraat. Het is een gek gezicht, zo'n giraffe die door een brandgang loopt. De giraffe zelf vindt het ook maar gek, dat zie je zo. Wat onwennig en bang kijkt hij in het rond en hij snapt niet waar de andere giraffes van de dierentuin zijn gebleven. Het is ook de eerste keer dat hij in een vrachtwagen een uitstapje maakt.

26. Het Jeugdjournaal

Simon had al een heleboel folders op zijn computer gemaakt om uit te delen. KOMT DAT ZIEN, KOMT DAT ZIEN, EEN ECHTE GIRAFFE IN DE GIRAFFESTRAAT, staat erop. Maar dat was niet eens nodig geweest.

Als Nilani de volgende dag de krant van de deurmat pakt, ziet ze meteen dat er op de voorpagina grote foto's staan van hun giraffe. ACTIE VOOR MEESTER FRITS GAAT VERDER, staat er groot boven.

Als ze 's middags uit school komen, weten de kinderen van de Giraffestraat niet wat ze zien. In de Giraffestraat staan een heleboel mensen nieuwsgierig om zich heen te kijken.

'Weten jullie ook waar wij de giraffe kunnen zien?' vraagt een mevrouw aan Nilani .

'Zeker. U moet gewoon voor nummer 18 wachten, dat is het huis van Lisa en Josse. Over een kwartier kunt u naar de giraffe.'

'Wat moeten we nu doen?' vraagt Jeroen wat in paniek. Hij had nooit gedacht dat er zo veel mensen zouden komen.

'Als jij nou een tafeltje haalt,' zegt Godfried, 'dan is dat de kassa. Heeft een van jullie nog een oude schoenendoos?'

'Ik denk het wel,' zegt Boudewijn. En hij rent al weg om hem op te halen.

'En zijn er veel mensen?' vraagt de verzorger van de giraffe die het dier geruststellend op zijn flanken slaat. Eigenlijk is dat niet nodig, want de giraffe staat heel rustig te eten. Met zijn grote tong plukt hij de bladeren van de bomen die kaler en kaler worden.

'Er zijn verschrikkelijk veel mensen,' laat Rosa weten. 'Zullen we ze nu naar binnen laten gaan?'

'Geen probleem,' zegt de oppasser, die het wel leuk vindt. Het is de eerste keer dat hij met een giraffe op stap is.

Jesse maakt een groot bord:

DIT IS DE TUIN VAN DE GIRAFFE. ENTREE 2 EURO. WANNEER U OP DE FOTO WILT MET DE GIRAFFE, 1 EURO EXTRA.

Godfried zet het tafeltje naast het bord. Op het tafeltje zet hij de schoenendoos die nu een kassa is geworden. De mensen kunnen naar binnen.

Violet en Rosa moeten zelfs langs de mensen lopen om te zeggen dat ze netjes in de rij moeten blijven staan en niet moeten dringen. Er zijn zo ontzettend veel mensen die de giraffe willen zien.

En niet alleen zíen. Ze willen de giraffe allemaal een keer aaien en de meesten willen ook nog met hem op de foto. Nilani maakt de foto's. Josse schrijft op wie er op de foto staat, zodat ze de foto later kunnen opsturen.

Diezelfde middag komen er opeens mensen met een grote camera de tuin inlopen.

'Hallo,' zegt een mevrouw vriendelijk. 'Wij zijn van het Jeugdjournaal en we willen graag wat opnamen maken die we vanavond kunnen uitzenden.'

De mevrouw had niet hoeven te zeggen dat ze van het Jeugdjournaal is, want iedereen herkent haar meteen.

105

Zo gebeurt het dat Violet, Rosa en Nilani uitgebreid op televisie komen. Nilani vertelt waarom ze op het idee kwam. Daarna komt de giraffe in beeld en vertelt de directeur van de dierentuin waarom hij wel mee wilde doen. 'Ik vind dat meester Frits en Renuka weer samen moeten zijn,' zegt hij. 'Als een giraffe daarbij kan helpen, dan doen wij daar graag aan mee.'

'Hij zal wel blij zijn dat hij op televisie is,' zegt Rosa. 'Dat is goede reclame voor zijn dierentuin.'

De meeste kinderen van de Giraffestraat kijken die avond naar het Jeugdjournaal, maar een aantal is nog druk in de weer in de tuin, met de giraffe. Ook door de uitzending op het Jeugdjournaal wordt de rij mensen alleen nog maar langer.

'Ik wil wel dat jullie om half negen dichtgaan,' zegt de vader van Violet streng. 'Het moet niet te gek worden.'

Maar het is te gek. Het houdt niet op. De rij wordt alleen maar langer en langer.

'We worden stinkend rijk,' zegt Godfried, die achter het tafeltje zit als Nilani even bij hem gaat kijken. Hij graait met zijn handen door het geld in de schoenendoos. Hij lijkt Oom Dagobert wel.

☙

27. Rijk

De volgende dag staat er eenzelfde rij mensen en de dag daarop opnieuw. De kinderen van de Giraffestraat hebben het bijna te druk om naar school te gaan. Er moet zoveel gebeuren.

Er komen allerlei journalisten van kranten, zelfs een paar journalisten uit Duitsland, die ze te woord moeten staan. Daar komt bij dat ze de boel steeds moeten schoonmaken. Want al die mensen laten zo veel troep achter. En, niet onbelangrijk, ze moeten het geld tellen.

'Hoe gaat het?' vroeg meester Frits de tweede dag.

'U moet maar eens komen kijken,' zei Rosa.

Als hij komt kijken, weet hij niet wat hij ziet. Zoveel mensen. 'En wat denken jullie, halen jullie genoeg geld op?' vraagt hij benieuwd.

'Ik denk niet dat u zich daar zorgen over hoeft te maken,' zegt Godfried.

'Kan ik alvast een e-mail naar Renuka sturen, denken jullie? Dan kan ik haar vertellen dat we een ticket voor haar kunnen kopen.'

'Dat zou ik zeker doen,' zegt Violet. 'Dan kan ze ook al wat wennen aan het idee dat ze terug kan komen naar Nederland.'

Nadat ze vier dagen open zijn geweest, gaat Godfried naar Rob. 'Rob, kun jij een vergadering bij elkaar blazen?'

'Natuurlijk,' zegt Rob en hij rent al naar huis om zijn trompet te halen. Even later klinkt het 'Vader Jacob' door de straat.

'Ik dacht dat we net even rust hadden,' moppert Violet, 'moeten we weer vergaderen.'

De dierentuin is namelijk net één uurtje dicht en de kinderen van de Giraffestraat zijn net thuis, moe van het harde werken.

'We hebben een probleem,' zegt Godfried met een serieus gezicht.

De kinderen van de Giraffestraat begrijpen niet waar hij het over heeft.

'We verdienen veel te veel geld,' lacht hij. 'We worden hartstikke rijk.'

'Hoezo?'

'We moesten duizend euro hebben, maar we hebben nu al meer. Onze giraffe is een groot succes. Moeten we nu stoppen of gaan we door?'

Tsja, wie had dat nou gedacht.

'Eén ding is zeker,' zegt Rosa. 'We kunnen niet stoppen.'

'Waarom niet?' vraagt Godfried.

'Omdat we dan een heleboel mensen teleurstellen. Er zijn nog zo veel mensen die willen komen kijken. Het zou zielig zijn als dat niet meer kan.'

'Dat is waar,' zegt Godfried.

'Ik vind het trouwens helemaal niet erg als we te veel geld verdienen,' zegt Violet. 'Als we meer geld hebben, kunnen we misschien nog iets doen.'

'Wat dan?' vraagt Rosa benieuwd.

'Ik heb geen idee,' moet Violet toegeven, 'maar daar kunnen we toch over nadenken?'

Het is al laat op de avond als de kinderen van de Giraffestraat vrolijk naar huis gaan. Dit is nou eens een leuk probleem. Welke kinderen hebben nu te veel geld?

Violet en Rosa lopen van school naar huis. Ze stappen stevig door, want thuis staan natuurlijk weer een heleboel mensen in de rij. Er moet weer hard worden gewerkt.

'Het is maar goed dat het zulk mooi weer is deze week,' zegt Rosa.

'Zeg dat wel. Als het regende, zouden er veel minder mensen komen.'

'Ik heb een idee,' zegt Rosa terwijl ze van de ene naar de andere tegel hinkelt waarbij ze probeert de randen niet aan te raken.

'Wat voor een idee?' vraagt Violet, die met haar gedachten bij de Berkenhut is. Ze moeten hun Clubhuis nodig eens schoonmaken. Overal hangen spinnenwebben.

'Over dat geld,' zegt Rosa. 'Over al dat geld dat we hebben.'

'O ja?' zegt Violet verrast.

'Ik denk dat we nog twee mensen gelukkig kunnen maken,' zegt Rosa, terwijl ze gewoon doorhinkelt.

'Wie dan?'

'Nilani en meester Frits.'

'Hoezo?'

'Wat dacht je ervan als meester Frits en Nilani samen naar Sri Lanka gaan om Renuka te halen? Dan kan Nilani haar land ook eens zien.'

'Wat een goed idee,' zegt Violet verrast. 'En dat is ook wel eerlijk, want die giraffe was haar idee. We laten Rob vanavond weer een Geheime Vergadering beleggen.'

Samen rennen ze nu naar de Giraffestraat.

28. Sri Lanka

Ze beleggen eerst een Geheime Vergadering zonder Nilani. Dat betekent dat Rob niet op zijn trompet mag blazen, want dan zou Nilani ook komen. Op het eind van de dag rennen Violet en Rosa langs alle kinderen van de Giraffestraat om te zeggen dat er een vergadering is.

Ze hoeven dit keer niet lang te vergaderen, iedereen vindt het meteen een goed idee.

'Misschien is het wel leuk als we vragen of Nilani nu ook naar de Geheime Vergaderkamer komt, dan kunnen we het haar vertellen,' oppert Godfried.

'Ik zal haar wel even gaan halen,' zegt Rosa en ze schiet al de tunnel in.

'Is Nilani ook thuis?' vraagt ze aan de moeder van Nilani.

'Nee, ik dacht dat die bij jullie aan het spelen was.'

Uiteindelijk vindt ze Nilani op een boomstronk voor de Berkenhut.

'Ik zat hier op jullie te wachten. Waar is iedereen?' vraagt Nilani verbaasd als ze Rosa ziet. 'De Giraffestraat lijkt wel uitgestorven.'

'We waren aan het vergaderen,' zegt Rosa.

'Hoe kan dat nou? Ik heb de trompet van Rob helemaal niet gehoord.'

'Dat was ook de bedoeling,' zegt Rosa geheimzinnig.

'Hoezo?' vraag Nilani achterdochtig. 'Is er iets?'

Rosa knikt. 'Er is zeker iets. Dat willen we je graag vertellen. Kom je mee?'

Als ze de Geheime Vergaderkamer binnenkruipen, kijkt Nilani verlegen om zich heen. 'Waarom hebben jullie mij niet verteld dat jullie gingen vergaderen?' zegt ze een beetje verwijtend.

'Omdat we over jou gingen vergaderen,' zegt Godfried.

'Hoezo? Ik heb toch niks gedaan?'

'Jawel, hoor. Jij hebt wel iets gedaan,' zegt Violet.

'Wat dan? Ik zou niet weten wat.'

'Jij hebt ervoor gezorgd dat we heel veel geld verdienen,' lacht Violet. 'Er is veel meer geld dan we nodig hebben. Daarom hebben wij het volgende bedacht: het lijkt ons leuk als jij samen met meester Frits naar Sri Lanka gaat, dan kun je het land zien waar je bent geboren en dan kunnen jullie Renuka ophalen.'

Nilani slaat haar hand voor haar mond. 'Is dat echt waar?'

Iedereen knikt.

'Maar willen jullie dat geld niet zelf houden?'

'Och, nee. Wat moeten we ermee doen?' zegt Rosa. 'Bovendien heb jij het allemaal bedacht. Zonder jou hadden we niet zo veel geld gehad.'

'Ik weet niet of mijn vader en moeder het wel goedvinden als ik zonder hen zo ver op reis ga.'

'Nou, dat gaan we dan toch vragen?'

'En meester Frits, vindt hij het wel leuk als ik meega?'

'Dat hebben we al gevraagd. Die vindt het zelfs heel leuk. Dan hoeft hij tenminste niet alleen te gaan.'

Dan gaan Violet en Rosa met Nilani mee naar haar vader en moeder. Gelukkig zijn ze allebei thuis.

'Helemaal naar Sri Lanka?' roept de moeder van Nilani uit. 'Helemaal alleen?'

'Nee,' zegt Rosa, 'ze gaat natuurlijk mee met meester Frits.'

'Maar we wilden zelf met jou over een paar jaar naar Sri Lanka. Als je dat wilt, gaan we kijken of we je Sri Lankaanse moeder kunnen vinden.'

'Ik wil nu alleen het land maar zien,' zegt Nilani. 'Natuurlijk ga ik niet op zoek naar mijn moeder. Dat wil ik alleen met jullie samen doen.'

'We willen er toch nog een nachtje over slapen,' zegt de vader van Nilani. 'Ik wil bovendien meester Frits vanavond bellen. Ik wil zeker weten of hij het wel goedvindt.'

Zo komt het dat Nilani nu al veertien uur naast meester Frits in een groot vliegtuig zit. Over een half uur gaan ze landen, zei de piloot net door de microfoon.

Gelukkig zit Nilani bij het raampje en kan ze mooi naar buiten kijken. Het is heel lang donker geweest, maar nu kan ze al weer een paar uur naar buiten kijken.

Eerst zag ze grote woestijnen. Hier en daar een stad. Nu ziet ze al een hele tijd zee onder zich, een prachtige blauwe zee. Boven die blauwe zee hangen witte wolken, het lijken wel watten, zo wit en wollig. Nog even en ze zal haar land zien, Sri Lanka. Ze heeft er al zoveel van gehoord. Ze was pas twee weken oud toen ze werd geadopteerd en met haar vader en moeder naar Nederland ging. Ze kent Sri Lanka alleen maar van foto's.

Naast haar wordt meester Frits wakker. 'Oei, ik heb lang geslapen, geloof ik,' zegt hij.

'Zeg dat wel,' zegt Nilani. 'U snurkt ook.'

'Weet ik,' zegt meester Frits. 'De mensen hebben toch geen last van mij gehad?'

'Een beetje wel.'

'Oei. Ik schaam mij dood.'

'Kijk,' zegt ze. 'Kijk, daar is Sri Lanka.' Onder haar is zojuist een groen eiland verschenen. Heel klein ziet ze stranden en dorpjes.

Door de microfoon vertelt de piloot dat hij de landing gaat inzetten. Sri Lanka wordt steeds groter.

Wat is het mooi: palmen, watertjes, weggetjes, heuvels. Ze kan zich niet voorstellen dat haar moeder hier ergens loopt en dat Renuka nu ergens op meester Frits zit te wachten.

Het vliegtuig gaat steeds lager vliegen. Ze ziet nu mensen en honden lopen, auto's rijden. Ze houdt de hand van meester Frits stevig vast. Zo'n vliegtuig, het landen, ze vindt het maar eng. Je weet maar nooit of het goed gaat, stel dat het vliegtuig te hard neerkomt en verongelukt. Ze moet er niet aan denken.

Dan voelt ze dat de wielen de grond raken. Het lijkt wel alsof ze een paar keer stuiteren. De remmen gieren.

'Renuka, we zijn er,' hoort ze meester Frits naast zich zeg-gen.

Ja, ik ben er weer, denkt Nilani. Mama, ik ben weer in je land.

29. Het paadje, de tempel, het strand

Lieve Frits,

Ik verlang er zo naar om je weer te zien, je weer te kunnen vasthouden. Wat leuk dat Nilani meekomt. Ik zal haar het ziekenhuis laten zien waar ze is geboren.

Ik hoop dat je het niet erg vindt, maar ik kan je niet komen ophalen van het vliegveld. Dat ligt een eind van Colombo af. Het is te ver om te lopen en ik heb geen geld om met de bus te gaan. Ik heb mijn laatste geld opgemaakt om dit e-mailtje te versturen. Kom alsjeblieft zo snel mogelijk naar mij toe.

Ik woon in een huisje op het strand in het zuiden van Colombo, vlak bij Mount Lavinia, een heel mooi groot hotel. Rechts is een paadje naar beneden. Als je dat inloopt, kom je bij een boeddhistische tempel. De tempel laat je links liggen, je moet het pad uitlopen naar het strand. Als je daar bent, moet je naar Renuka vragen, iedereen weet wel waar ik woon. Schrik niet van mijn huisje. Ik ben er erg blij mee, maar als jullie komen, schaam ik mij er wel een beetje voor, denk ik.

Ik kan mij niet voorstellen dat ik dadelijk naast jullie in het vliegtuig zit, terug naar Nederland.

Duizenden kusjes en duizend liefs van mij, Renuka. Kom, kom, kom snel. Ik verlang zo naar je.

H et papier is inmiddels erg verfrommeld. Dat is niet gek, want meester Frits haalt het e-mailtje al de hele reis elk half uur uit zijn zak.

'Bent u zenuwachtig?' vraagt Nilani.

'Heel erg zenuwachtig,' geeft meester Frits toe. 'Ik verlang zo naar haar. Wat is ze mooi, hè, en wat is ze lief.'

Dat geeft Nilani onmiddellijk toe.

'En ben jij zenuwachtig?' vraagt meester Frits.

Nilani knikt. Ze kan zich niet voorstellen dat ze hier, op deze grond, is geboren. Wie weet, rijdt ze langs haar moeder en weten ze dat niet eens van elkaar.

Wat gebeurt er eigenlijk met je als je in de buik van je moeder zit? Ruik je dan al iets? Hoor je dan dingen? Voel je iets? Zal ze dingen herkennen in Sri Lanka? Die vragen heeft ze zich vaak gesteld, maar ze kan er geen antwoorden op vinden.

Ze rijden nu in een taxi door de straten van Colombo. In de straten is het een drukte van je welste. Overal lopen mensen en honden, in elk huis is wel een winkeltje. De auto's rijden luid toeterend door elkaar. In de wegen zitten grote gaten, maar niemand die zich daar druk over maakt. Nilani en meester Frits hobbelen op de achterbank hard op en neer. Wat het helemaal gevaarlijk maakt, is dat de taxi zó oud is dat ze door de vloer de weg kunnen zien.

'Mount Lavinia? Iedereen in Colombo weet waar dat is,' had de taxichauffeur gezegd.

Nilani kan zich niet voorstellen dat ze in deze stad is geboren. Hij lijkt zo vreemd. 'Vindt u het niet raar om wit te zijn?' vraagt ze aan meester Frits.

'Ik zit er net aan te denken,' zegt hij. 'Normaal ben jij bruin

onder allemaal blanke mensen en nu ben ik blank onder allemaal bruine mensen. Dat is wel grappig.'

De taxi stopt voor een groot wit hotel, het lijkt wel een paleis, zo groot.

'Mount Lavinia,' zegt de taxichauffeur.

Nilani en meester Frits stappen uit en betalen de taxichauffeur. Ze geven hem duizenden roepies, de euro van Sri
Lanka. Maar als meester Frits heeft betaald, zegt hij: 'Wat is
het hier goedkoop. De roepie is bijna niets waard.'

De weg naar het strand kunnen ze gemakkelijk vinden. Het
klopt precies zoals Renuka heeft geschreven, eerst het paadje,

daarna de tempel.

'Pff, wat is het hier heet,' zegt meester Frits. Zijn T-shirt is al helemaal nat. 'Het lijkt wel alsof Sri Lanka één grote broeikas is. Dat is niks voor mij, hoor, die hitte.'

Nilani loopt heel rustig door. Als ze even sneller loopt, begint ze net zo te zweten als meester Frits, merkt ze.

Na de tempel komen ze bij het strand. Het is een prachtig gezicht. Voor hen ligt de oceaan. De golven slaan rustig op het strand. Er staan allemaal heel kleine huisjes. Nou ja, huisjes, hutten zijn het. De muren en de daken zijn van palmblad gemaakt.

Gelukkig spreekt bijna iedereen in Sri Lanka wel een beetje Engels. Op die manier kunnen ze gewoon met iedereen praten. Tenminste, meester Frits kan met iedereen praten. Hij moet het wel steeds voor Nilani vertalen. Jammer genoeg spreekt ze geen Engels. Als ze thuis is, wil ze het meteen gaan leren. Misschien wil Rosa haar wel Engels leren.

Achter hen lopen al de hele weg twee mannen die schelpen willen verkopen. Meester Frits heeft al een paar keer gezegd dat hij geen schelpen wil kopen, maar daar trekken ze zich niets van aan. Ze blijven gewoon meelopen.

Op het strand gaan ze naar een huis waar een vrouw voor zit.

'Weet u ook waar Renuka woont?' vraagt meester Frits.

De vrouw lacht vriendelijk. 'Natuurlijk,' zegt ze. 'Tweehonderd meter langs het strand en dan is het dat huisje met een houten hekje eromheen.'

Meester Frits gaat steeds harder lopen. Nilani kan hem bijna niet meer bijhouden. Opgewonden kijkt hij om zich heen: wie weet, loopt ze hier ergens rond.

Na honderd meter zien ze inderdaad in de verte een huisje met een houten hekje. Maar wat ze ook zien: voor het huisje staat Renuka. Nu ziet Renuka hen ook, ze zwaait. Meester Frits en Nilani zwaaien niet terug. Ze beginnen als gekken te rennen. Nilani heeft iemand nog nooit zo hard zien rennen. Het is jammer dat ze geen tijdklok bij zich heeft, want ze weet zeker dat meester Frits nu een wereldrecord loopt.

Als hij bij Renuka is, vallen ze in elkaars armen. Meester Frits tilt haar hoog op en maakt een wilde rondedans met haar. 'Het is gelukt, het is gelukt,' hoort Nilani hem zingen.

'Hoi lieve meid,' zegt Renuka als ze zijn uitgedanst en Nilani buiten adem naast hen staat. Ze slaat haar armen om Nilani en drukt haar heel stevig tegen zich aan. 'Wat ben ik blij dat ik jullie zie.'

30. Schiphol

'Ga je mee?' vraagt Violet aan mij.
'Natuurlijk ga ik mee,' zeg ik.
'Je *moet* natuurlijk wel mee,' zegt Violet.
'Hoezo?'
'Je moet toch weten hoe het afloopt?'
'Wat bedoel je?' zeg ik wat boos.
'Omdat je hier vast en zeker weer een boek over gaat schrijven,' lacht Violet. 'Je wist toch niet waarover je moest schrijven? Dat weet je nu wel.'

'Ik wil eigenlijk helemaal geen boeken over de Giraffestraat schrijven,' zeg ik nu echt boos. 'Ik wil dat jullie je als normale kinderen gedragen en niet in de tuin van de koningin gaan slapen en niet een giraffe in de straat uitnodigen. Ik vind dat jij veel te gevaarlijke dingen doet. Je weet dat ik daar verschrikkelijk boos om kan worden.'

Violet knikt, dat weet ze ook wel.

'Ik neem aan dat jullie weer iets bijzonders hebben georganiseerd?' vraag ik naar de bekende weg.

'We gaan met de hele straat, met de hele school en het hele asielzoekerscentrum in bussen naar Schiphol. Het wordt hartstikke leuk,' laat Violet enthousiast weten.

'En hebben jullie nog een plaatsje voor mij?'

'Natuurlijk, lieve papa,' zegt ze slijmerig en ze slaat haar armen om mij heen. 'Er is toch één iemand die het allemaal op moet schrijven.'

'Hoe zal ik dit boek noemen?' vraag ik haar. 'Wat dacht je van "Een asielzoekster"?' opper ik.

Violet schudt haar hoofd. 'Hè, bah, niks aan. Nee, ik zou het "Meester Frits is verliefd" noemen. Het boek gaat toch over liefde?'

Ik wil haar niet meteen gelijk geven, maar ik vind het inderdaad geen slechte titel.

Die middag rijden er eenentwintig grote bussen de Giraffestraat in. Twaalf bussen zitten al vol, daar zitten de mensen van het asielzoekerscentrum in. Even later komen alle kinderen van school met hun ouders. Omdat de mensen uit de Giraffestraat ook al buiten staan, is het een drukte van je welste in de straat. Daartussendoor lopen mensen met televisiecamera's druk op en neer. Dit verhaal is niet alleen leuk voor een schrijver van kinderboeken, zo blijkt. Ook journalisten vinden het de moeite waard om er over te schrijven en er televisieopnamen van te maken.

Om vier uur zet de stoet zich in beweging naar Schiphol. Omdat het zo'n lange stoet is, rijden ervoor en erachter politie-auto's met zwaailicht.

'Wat is hier aan de hand?' vraagt iedereen die de stoet ziet.

Hetzelfde is het geval op Schiphol. Zo veel mensen die mensen komen afhalen, dat gebeurt normaal alleen als het Nederlands elftal aankomt nadat ze een belangrijke wedstrijd hebben gewonnen. Omdat iedereen wil zien wie er wordt opgehaald, lopen een heleboel mensen mee. Hierdoor komt de grote aankomsthal van Schiphol prop- en propvol te staan.

'Hun vliegtuig landt nu,' zegt Violet terwijl ze op haar horloge kijkt.

'Het duurt nog wel even, hoor,' zegt ik. 'Ze moeten eerst nog door de douane en daarna moeten ze hun bagage nog pakken, dat kan lang duren.'

Als na een half uur de deur van de aankomsthal opengaat, weten meester Frits, Renuka en Nilani niet wat ze zien. Honderden, misschien wel duizenden mensen schreeuwen hun namen, lachen en klappen. Ze herkennen veel bekende gezichten. Meester Frits slaat verlegen zijn arm om Renuka heen en Renuka laat haar tranen de vrije loop. Nilani rent naar haar vader en moeder. Ze is zo blij dat ze weer thuis is en dat ze dadelijk weer naar de Giraffestraat kan!

De grote verrassing komt buiten, als ze de aankomsthal uitlopen. Buiten, pal voor de ingang, staat een grote giraffe onwennig om zich heen te kijken. Hij heeft al veel meegemaakt, maar op een vliegveld is hij nog nooit geweest. Naast hem staat trots de directeur van de dierentuin.

Als Nilani de giraffe ziet, rent ze naar het grote dier.

'Hij wilde per se naar je toe,' grapt de directeur.

'Dat kan ik mij goed voorstellen,' zegt Nilani. 'Zonder hem hadden we nooit naar Sri Lanka gekund. Giraffe, bedankt, hoor.' En ze slaat hem dankbaar op zijn flank.

De giraffe kijkt wat zenuwachtig om zich heen. Hij snapt niet waarom hier geen bomen met bladeren zijn waar hij zijn grote tong omheen kan slaan.

Als ze terug zijn in de Giraffestraat, die helemaal is versierd, gaan Violet en Rosa nog even mee met Nilani. Nu het een beetje rustig is, kan Nilani eindelijk vertellen wat ze allemaal heeft meegemaakt. Hoe ze nog door Sri Lanka hebben gereisd, hoe ze naar het ziekenhuis zijn gaan kijken waar ze is geboren. Ze heeft er een heleboel foto's van gemaakt.

'Nou moet je even stoppen met vertellen,' onderbreekt haar moeder haar. 'Anders missen we het Jeugdjournaal nog.'

Nilani's moeder zet de televisie aan en zo zien ze zichzelf voor de derde keer op het Jeugdjournaal verschijnen. Opnieuw zien ze Nilani blij naar de giraffe rennen en het grote beest dankbaar op zijn flanken slaan. Even later komt de directeur van de dierentuin in beeld, die nog eens trots vertelt waarom er een giraffe voor Schiphol staat.

'Het is wel slim van hem,' zegt Rosa. 'Nu wordt er weer reclame voor zijn dierentuin gemaakt.'

'Ik vind dat hij het heeft verdiend,' vindt Nilani.

'Zeker,' beaamt Violet.

Wie wonen er in de Giraffestraat?

Violet

Violet is de dochter van de schrijver van dit boek. Ze heeft haar haar altijd in een staart. Als ze loopt, springt de staart vrolijk op en neer. Violet houdt van avontuur. Het liefst wil ze later ontdekkingsreiziger worden. Violet heeft een broertje dat Bas heet en ze wonen op nummer 12.

Rosa

Rosa is de beste vriendin van Violet. Waar Violet is, is Rosa, en waar Rosa is, is Violet. Samen met Violet heeft Rosa een club, de Club Van De Berkenhut. Ze woont op nummer 8.

Joris

Joris Lap kan heel goed klimmen. Zonder problemen klimt hij tegen schoorstenen en kerktorens op. Het liefst balanceert hij hoog op een koord boven de Giraffestraat. Hoe hoger hoe beter. Het allerliefst zou hij een vogel zijn. Joris woont in de Giraffestraat op nummer 9.

Nilani

Nilani woont op nummer 2 van de Giraffestraat. Ze heeft één broertje, Jochem. Nilani is bruin, maar haar papa en mama zijn wit. Dat komt doordat haar vader en moeder haar hebben geadopteerd toen zij twee weken oud was. Ze is in Sri Lanka geboren.

Simon

Simon woont op nummer 20. Van alle kinderen in de Giraffestraat zie je Simon het minst. Hij zit meestal binnen, achter de computer. Hij is een echte computer-freak. Eigenlijk weet iedereen het: Simon wordt later ingenieur.

Boudewijn

Boudewijn heeft een hond die Humpus heet. Boudewijn weet precies wat hij later wil worden: dierenarts. Heel vaak gaat hij samen met Humpus op pad. Boudewijn woont op nummer 13 in de Giraffestraat.

Rob

Rob woont op nummer 4 en het is maar goed dat je niet naast hem woont. Rob houdt namelijk maar van één ding: op zijn trompet spelen. Of nee, hij houdt van twee dingen. Hij is ook nog gek op patat met kroketten.

Jesse

Jesse is het broertje van Rosa. Jesse is ontzettend handig. Hij klungelt altijd aan motoren. Hij heeft een step waar hij steeds een andere motor op zet. Hierdoor gaat de step steeds harder rijden.

Hallo, lezer van dit boek,

Heb je het boek uit? Mooi. Ik hoop dat je een beetje hebt genoten. Het is misschien goed om te weten dat ik nog een paar boeken heb geschreven. Ook boeken die zich in de Giraffestraat afspelen. Want zoals je misschien wel weet, ben ik de vader van Violet. Zij beleeft heel veel avonturen. Meestal vind ik dat niet leuk, ben ik het er helemaal niet mee eens. Maar als zo'n avontuur weer eens goed is afgelopen, schrijf ik er meestal wel een boek over.

Ik ben trouwens erg benieuwd wat je van dit boek vindt. Ik zou het erg leuk vinden als je mij dat laat weten. Dat kun je doen door mij te e-mailen. Ik heb namelijk een eigen site. Het internetadres van mijn site is www.gerardtonen.nl. Via die site kun je een e-mail naar mij sturen. Als je dat doet, krijg je altijd een e-mailtje terug.

Tot mijn volgende boek,
Gerard Tonen